À medida que eu lia cada página desta obra, ficava mais motivado a lutar por mudanças na minha vida. E, "como toda motivação deve ter uma base sólida" (frase do autor quando se refere a Neemias), é bom saber que este livro tem como base a Bíblia e a prática de seus ensinos na vida do autor. Obrigado amigo, arcebispo Miguel Uchoa por me ajudar compartilhando tesouros de sua mina de sabedoria!

REV. SIMONTON ARAÚJO
Fundador e Pastor Sênior da MISSÃO, Vila Velha - ES
Escritor e conferencista

O bispo Miguel Uchoa é experiente e aprovado por Deus, e tem autoridade para escrever sobre esse assunto tão importante para o povo de Deus. Esse livro é único no mercado evangélico até agora, ele traz uma revelação fantástica dos comportamentos que consciente ou inconscientemente copiamos de nossos pais e familiares, que nos impedem de atingir o máximo do nosso potencial em Cristo. Ao ser confrontado pelas verdades desse maravilhoso livro, a sua vida jamais será a mesma, você será liberto de velhos hábitos e comportamentos que o acompanham, então, poderá ser você mesmo cumprindo o propósito eterno e experimentar o cumprimento das promessas de Deus para sua vida.

DOMINGOS JARDIM DA SILVA
Pastor da PIB, Marília - SP

Nesses tempos difíceis que atravessamos a autossabotagem é um tema recorrente e perturbador. Quem já não se viu tramando contra seus próprios sonhos ou abraçando uma falsa premissa de felicidade? Quem hoje não vive ou viveu a tentação do inimigo interno que insiste e nos resiste? Este livro é não somente atual como também necessário. Um tema sensível que vem preencher um *gap* no mercado editorial. Em *A arte de sabotar a própria vida*, o bispo Miguel Uchoa nos apresenta um mapa a fim de trafegar no meio do campo das minas colocadas por nós mesmos em nosso próprio caminho.

JB CARVALHO
das igrejas comunidades das nações no Brasil e EUA.
r titular da Comunidade das Nações em Brasília (DF)
Escritor e conferencista

Há muitos anos, um grande amigo e pregador conhecido, disse-me: "Alexandre, nem seria necessário o mal para complicar a minha vida! Eu mesmo sou o meu maior adversário"! A caminhada e a experiência mostraram quanto estava certo. Nesta obra que tenho a honra de recomendar, o bispo Miguel Uchoa descreve com maestria e simplicidade quanto devemos cuidar, vigiar e zelar por nós mesmos. Vem à tona a realidade da intensidade de vigilância comigo mesmo. Medos, armadilhas, manutenção de um ideal de vocação, relacionamentos são bênçãos sublimes de Deus na nossa vida, mas a vigilância deve ser constante, a fim de que sonhos, metas, e planos não sejam sabotados! Dom Miguel Uchoa, de forma cristalina e com o peso da experiência ministerial aborda esses temas, trazendo luz e apontando as formas de caminhar sobre eles. Uma alegria, repito, recomendar a presente obra.

ALEXANDRE XIMENES
Bispo da Igreja Episcopal Carismática do Brasil

A vida é uma disputa de vozes! A voz que mais nos influenciar será a que governará a nossa história. A autossabotagem acontece quando valorizamos a voz errada. Miguel Uchoa nos direciona para ouvirmos a voz que nos impulsiona para uma vida que vale a pena ser vivida.

CARLOS DAMASCENO
Pastor Sênior da *Power Church*, BH

O seu maior inimigo sempre será você mesmo. O ser humano já nasceu com a inclinação para as escolhas erradas, com aquela vontade bem lá no fundo de trocar o eterno pelo passageiro. Nesse livro, meu amigo e companheiro de jornada, bispo Miguel Uchoa traz o segredo que vai transformar sua vida: como parar de se autossabotar e transformar o seu maior inimigo, você mesmo, no seu maior aliado. Miguel é apaixonado pela palavra de Deus e não só anuncia como vive de forma íntegra o evangelho de Cristo. Neste livro indispensável, ele compartilha conosco sua experiência em substituir a autossabotagem pela autorresponsabilidade. Se prepare para alcançar um nível mais profundo em conhecimento, revelação e vida com Deus através dessas páginas!

PR ARTHUR PEREIRA
Pastor da Igreja do Amor, Paulista – PE

Amo livros que já me tocam na introdução!

Essa foi minha experiência com esta obra logo nas primeiras linhas me vi totalmente envolvido.

A sensibilidade e experiência do amigo Miguel Uchoa compartilhadas aqui, o ajudará a romper seus próprios limites! Como ele mesmo escreve: "Deus é o maior interessado em seu sucesso"; então mergulhe nas páginas deste livro, pare de se autossabotar e viva os sucessos que Deus sonha para sua vida.

PR. MARCELO TOSCHI
Igreja Amor e Cuidado, Araçatuba – SP

A arte de sabotar a própria vida é um livro empolgante de se ler e que nos ajuda a identificar e ultrapassar tudo o que, em potencial, pode nos afastar do nosso propósito existencial. Um livro para ler e voltar a ler e que deve fazer parte da biblioteca de qualquer pessoa empenhada em cumprir e alcançar a razão da sua existência.

MÁRIO RUI BOTO
Pastor Principal da *Hillsong* Portugal

A ARTE DE SABOTAR A PRÓPRIA VIDA

COMO VIVER DE FORMA INTENCIONAL, VENCENDO A SI MESMO, SENDO BEM-SUCEDIDO AOS OLHOS DE DEUS.

MIGUEL UCHOA

UNITED PRESS
um selo editorial hagnos

Revisão
Josemar de Souza Pinto
Raquel Fleischner

Capa
Douglas Lucas

Diagramação
Sonia Peticov

Gerente editorial
Juan Carlos Martinez

1ª edição: Outubro de 2019

Coordenador de produção
Mauro W. Terrengui

Impressão e acabamento
Imprensa da fé

Todos os direitos desta edição reservados para:
Editora Hagnos
Av. Jacinto Júlio, 27
04815-160 - São Paulo - SP - Tel. Fax: (11) 5668-5668
hagnos@hagnos.com.br — www.hagnos.com.br

Dados Internacionais de Catalogação na Publicação (CIP)
Angélica Ilacqua CRB-8/7057

Uchoa, Miguel

A arte de sabotar a própria vida: como viver de forma intencional, vencendo a si mesmo, sendo bem-sucedido aos olhos de Deus / Miguel Uchoa. — São Paulo: Hagnos, 2019.

ISBN 978-85-243-0586-3

1. Autoajuda 2. Vida cristã 3. Procrastinação 4. Sucesso I. Título

19-1944

CDD-248.8

Índice para catálogo sistemático:
1. Vida cristã: autoajuda

Dedicatória

À memória de minha amada esposa, Valeria Uchoa, que, com sua presença em cada canto de minha vida, me ajudou em tudo a escapar das armadilhas da autossabotagem, montadas por mim mesmo em minha própria vida.

Agradecimentos

Aos meus filhos, Gabriel, Matheus e Fabiana, e à minha querida nora Tuanny, pela presença e cuidado com a minha vida, por terem sido sempre otimistas quando nada nos dizia para sermos, firmes quando nossas bases pareciam ruir e compreensivos quando meus limites se esgotaram. Amo vocês demais.

Sumário

Prefácio

É com grande alegria que prefacio e recomendo a presente obra.

As pessoas se sabotam, isso é fato. E se sabotam muito! A autossabotagem é assunto sempre atual e, poderíamos dizer, urgente. O mundo está passando por uma enorme crise. A quantidade de suicídios e depressão é um indicativo disso, mas não o único. A falta de realização no lar e no mundo corporativo, por exemplo, tem muito a ver com a autossabotagem.

Por tais razões, vem em boa hora um livro que, de maneira prática, traz um direcionamento e auxílio sobre como não cometer esses erros. Ou, se você é líder ou alguém disposto a fazer diferença onde está, a ajudar a quem está ao seu lado vivenciando problemas dessa ordem.

A Bíblia descreve uma galeria de líderes que se autossabotaram, mostra como esse processo aconteceu e como foram resgatados pela graça de Deus. Mas também mostra a mudança que ocorreu quando perceberam o propósito maior de Deus para a sua vida e se dispuseram a intencionalmente vencer a si mesmos. Então, assim como aconteceu com eles, pode acontecer conosco. Não só temos o mesmo Deus, como também a oportunidade de aprender com os erros e acertos daquelas pessoas: temos mais informações que elas! Além disso, agora temos uma obra com foco na autossabotagem e como nos livrar dela.

O autor foi muito feliz ao dizer que precisamos viver de forma intencional e vencer nosso maior inimigo: nós mesmos! Vencer a si mesmo significa se tornar, de inimigo, em um aliado. Isso abre a porta para sermos bem-sucedidos aos olhos de Deus.

O filósofo e general Sun Tzu, já na antiga China, ensinou o seguinte: "Se você conhece o inimigo e conhece a si mesmo, não precisa temer o resultado de cem batalhas. Se você se conhece, mas não conhece o inimigo, para cada vitória ganha sofrerá uma derrota. Se você não conhece nem o inimigo nem a si mesmo, perderá todas as batalhas". É exatamente isso: um dos primeiros passos para a superação pessoal e a realização é se conhecer bem. Essa é, aliás, uma das formas de inteligência: conhecer bem a si mesmo e aprender a se transformar em seu aliado.

Ser "intencional" é algo que deve ocorrer em todas as áreas da vida, e nem o autor nem o prefaciador conhecem melhor e mais bem-sucedida intencionalidade que entregar cada um de nossos planos a Deus. Cremos que este é o melhor modo de alcançar o sucesso. É como diz Provérbios 16.3: *Deixe nas mãos do Senhor tudo quanto você faz, e todos os seus planos serão bem-sucedidos* (*Nova Bíblia Viva*).

A obra perpassa os pontos mais nevrálgicos do tema: planos, crenças (*mindset*), armadilhas pessoais, vocação e chamado, relacionamentos, propósito, vida financeira e procrastinação. Ensina acerca de nossa responsabilidade sobre as coisas que dão certo e que dão errado. Isso inclui vida pessoal, família, trabalho, relacionamentos, ministério etc.

A verdade é que nós mesmos nos sabotamos por pequenas atitudes e escolhas diárias. Nesse ponto, o livro mostra as falhas ao não se confiar em Deus e como você pode, por distração ou falta de orientação, tomar caminhos errados. O livro reforça a importância de orar, planejar e estabelecer estratégias para a consolidação de projetos e sonhos.

A ideia, e o livro que a concretizou, é leve e útil. É um livro que fala sobre espiritualidade colocada em prática, de responsabilidade pessoal, de abandonar a "transferência de culpa" e assumir o controle daquilo que nos cabe. É um texto tanto sobre sucesso secular quanto sobre relacionamento e diálogo com Deus. Ouso dizer que não ler este livro é quase um caso de autossabotagem, assim como tenho certeza de que lê-lo ajudará você a ser bem-sucedido perante Deus e os homens.

WILLIAM DOUGLAS
Professor e juiz federal brasileiro, autor de
diversas obras nas áreas jurídica, educacional,
preparatória para concursos, ficcional,
cristã e de desenvolvimento pessoal.

Introdução

Escuto de longe o despertador de meu telefone avisar que são 6h30 da manhã, e aparece na tela o lembrete: "Malhar". Eu me espreguiço esticando bem os braços, olho para fora, com a cortina semiaberta, e o dia parece nublado. Teimo em permanecer sob as cobertas, aos 16 graus de meu quarto refrigerado pelo ar-condicionado, o que me deixa fora da realidade lá de fora que já registra 29 graus na quente Grande Recife. Meu estado aquecido e "gostoso" começa a me sugerir algumas coisas, e escuto, atento a mim mesmo, tentando me convencer de que algumas delas são a pura verdade. O diálogo começa a se desenvolver como segue:

Eu – Puxa vida, estou tão cansado...

Eu 2 – Pois é, amigo, você trabalhou até tarde ontem e merece um descanso eventual.

Eu – Mas eu preciso malhar, é importante para minha saúde.

Eu 2 – É verdade, mas eventualmente uma faltinha ali na academia não mudará nada, não é mesmo? Você vai passar mal por causa disso?

Eu – Verdade, também faz bem descansar mais um pouco, não é?

O Eu 2 venceu. O que acontece em seguida é ser vencido pela vontade de dormir mais um pouco, saciando aquele desejo incontido de ficar ali por tempo indeterminado.

Uma pessoa se encontra financeiramente fragilizada, suas contas não fecham e ela está totalmente consciente dessa dificuldade. Mesmo sem ser necessariamente consumista, deseja algo e começa a dialogar consigo mesma. Aquela voz interior, então, vai começar a montar a armadilha em que fatalmente ela cairá. Os argumentos começam nesta direção:

Eu – Eu gostaria tanto de comprar essa roupa, mas as contas não estão fechando este mês.

Eu 2 – Mas sabe o quê? Eu trabalho duro todo dia e mereço me dar esse presente.

Eu – Isso mesmo, ninguém vai morrer por isso.

O Eu 2 venceu novamente. A compra é feita, o débito acontece, as contas não fecham e mais tarde pode até vir certo remorso, mas então é tarde, e ainda o Eu 2 vai se manter tentando convencê-lo de que, assim mesmo, as coisas vão melhorar.

Alguém está pensando em concorrer a uma vaga de emprego. A pessoa sabe que é uma boa colocação, algo que lhe proporcionará uma melhor condição financeira. Racionalmente, ela não encontra nada que seja contrário à sua inscrição naquele concurso. Aparentemente, é só se inscrever, estudar e tentar ser aprovado. Passando no concurso, terá uma excelente posição e alcançará um objetivo antigo. Que mal há nisso? Nenhum, claro, mas mesmo nesse caso pode ser acionado um gatilho que inclui uma série de ideias e pensamentos do tipo:

– E se eu passar? Será que terei condições de exercer a função? (insegurança)

– E se eu não passar? Será que as pessoas me julgarão incompetente? (baixa autoestima)

A partir daí, essa pessoa, que demonstra claramente medo de correr riscos, receio de assumir responsabilidades na vida, passa a procrastinar, sempre consegue uma desculpa para não se capacitar, até monta um plano de estudos, mas não dá prioridade a isso. Enxerga suas metas, mas inconscientemente trabalha contra elas, seja acordando tarde, seja não estudando, seja perdendo o foco, o que de alguma forma vai impedi-la de realizar seus objetivos abertamente desejados e até sonhados. Nesse caso, essa pessoa deu início ao que se chama de "ciclo da autossabotagem", algo que de forma contínua persiste em fazer parte de seu comportamento.

Uma pessoa tende a ter comportamentos repetitivos, e isso a consome. Ela acha estranho que alguém trabalhe em uma fábrica fazendo a mesma coisa todos os dias, apertando os mesmos botões; ela não entende como essa rotina não gera tédio naquela pessoa. Ao mesmo tempo, não consegue perceber quão rotineira é sua atividade de carteiro, que todos os dias toma o mesmo ônibus, desce no mesmo ponto e entrega as correspondências nas mesmas casas, escritórios e repartições. Na realidade, ela encontra uma maneira de negar a sua rotina, o que lhe ajudará a enfrentá-la todos os dias, sem gerar em si o tédio com que na sua concepção o outro convive. Este é um exemplo simples de quem se sabota, conformando-se com comportamentos repetitivos. Claro que nesses pequenos casos não faz muita diferença, pois, afinal de contas, de alguma forma, todos nós vivemos repetindo o que fazemos, sem nenhum sinal de tédio.

Desenvolvemos uma autodefesa que nos "protege" de ver em nós o que conseguimos enxergar nos outros. Mas existe um desdobramento dessas situações que se destaca nos relacionamentos, especialmente no âmbito familiar. Pais, filhos, cônjuges, irmãos que repetem o comportamento de sua família de origem, gerando disfunção familiar, especialmente no casamento. Mesmo sabendo que alguns comportamentos repetitivos são irracionais, sabemos e temos visto que outros são visivelmente perceptíveis, tendo a ver com a história de vida de cada indivíduo. Mas toda a atenção deve ser dada quando se percebe que algo mais além está se configurando, que esse comportamento repetitivo passa a ser uma verdadeira ameaça ao convívio familiar, à saúde emocional e espiritual de seus membros. Repetições que destroem vidas, comprometem casamentos, desestabilizam relacionamentos entre pais e filhos. Alguém escolhe para cônjuge uma pessoa que tem o mesmo comportamento de seu pai ou de sua mãe, comportamento esse que lhe trouxe danos emocionais que o perseguem e que põem em risco os seus atuais relacionamentos familiares.

Pois bem, se você também age assim, bem-vindo ao time dos que autossabotam seus planos, seu sucesso e sua vida. Isso é apenas uma marca clara e evidente de que, quando agimos assim, estamos colocando nossa vida em risco. Mas talvez você esteja pensando: "Mas só por isso? O que tem isso de tão importante em minha vida como um todo?" Deixe-me responder com clareza. Sim, tem muito a ver. Mas isso é apenas a ponta do *iceberg* que fica fora das águas. Muito provavelmente, quem age assim desenvolve o mesmo comportamento em outras situações de sua vida. Uma revisão rápida de suas atitudes mostrará que em outras situações o mesmo comportamento se repete.

A autossabotagem é uma prática comum na vida humana. De alguma forma e em algum momento, todos nós já nos autossabotamos, já trabalhamos contra nós mesmos, já desviamos nossa vida da rota do sucesso, de ser bem-sucedidos em uma operação, num negócio, na carreira, no casamento, na família, nos relacionamentos etc. A esta altura, alguém poderia perguntar: "Mas isso é algo novo?" Não, é a resposta. Isso acompanha o ser humano desde a Criação, mas, como em outras áreas do conhecimento, mais recentemente têm se intensificado os estudos sobre esse assunto. Talvez porque esse comportamento, atitude ou "arte" esteja mais perceptível nas relações humanas, talvez porque neste momento da humanidade a percepção pelo conhecimento tenha evoluído mais, ou, ainda, porque esse comportamento tenha se intensificado pelo momento em que vive o ser humano em geral, diante de todos os desafios que a vida moderna lhe impõe. A verdade é que essa atitude tem privado muita gente de alcançar seu máximo potencial em diferentes áreas da vida.

A autossabotagem é uma "arte" porque requer de cada um de nós uma boa argumentação para nos convencermos de que o outro lado do meu ser está certo, aquele lado que tenta me trair, me enganar, convencendo-me a tomar atitudes que sabidamente não serão benéficas para mim. Mas, mesmo diante de fatos óbvios, de experiências repetidamente equivocadas nas decisões passadas, eu acabo escutando essa voz e preparo uma armadilha que em parte são decisões conscientes e em parte compõem um universo obscuro e aparentemente irracional, pois, afinal de contas, quem deseja o mal para si mesmo? Na autossabotagem, em alguns casos, tudo é feito com a aparência consciente, mas no fundo é algo inconsciente: o indivíduo busca conquistar algo, mas suas atitudes seguem na direção oposta daquilo que almeja.

Ela acontece em diferentes áreas da vida, que podem ser desde os relacionamentos familiares e conjugais, passando pela carreira profissional, pelo cotidiano da vida, e pelos objetivos, metas e planos de cada indivíduo. Alguém a definiu como sendo uma combinação de sentimentos e pensamentos negativos seguida de comportamentos autodestrutivos.

Como cristão, tenho percebido que esse tipo de atitude carece de um exame à luz das Escrituras Sagradas, uma vez que nelas estão contidos todos os conselhos de Deus para o bem viver de cada ser humano criado à Sua imagem e semelhança, mas que também não negam em suas narrativas as características falíveis desse mesmo ser humano. Na narrativa bíblica, existem homens e mulheres que se mostraram falhos, que demonstraram uma baixíssima autoestima, que agiram mal e bem em diferentes contextos. E alguns deles manifestaram em sua vida atitudes de autossabotagem, privando-se de viver toda a vida abundante prometida por Jesus Cristo, como bem escreveu o apóstolo João no capítulo 10 de seu evangelho: *Eu sou a porta; quem entra por mim será salvo. Entrará e sairá, e encontrará pastagem. O ladrão vem apenas para furtar, matar e destruir; eu vim para que tenham vida, e a tenham plenamente* (v. 9,10).

Esse ladrão da felicidade humana se opõe à graça de Deus e procede do maligno. Ele promove a autossabotagem, rouba os sonhos, mata a esperança e destrói as expectativas. Jesus se coloca contra tudo que é antagônico a isso, prometendo dar vida, e vida em abundância, vida plena. Nestas páginas, vamos à luz da razão e, principalmente, da verdade bíblica observar todos os conselhos que podem nos ajudar a identificar quando, onde e como podemos estar nos autossabotando.

Eu e os meus medos

*A esperança é um alimento da
nossa alma, ao qual se mistura
sempre o veneno do medo.*

Voltaire

O coração começa a bater mais fortemente e acelerado, um estado ansioso me domina. Meus lábios estão agora ressecados, minha pele está esbranquiçada, parece que meu sangue se foi de todo. Meus músculos estão estremecendo, e involuntariamente sinto uma tremedeira que não consigo deter... Sim, esse é o estado de medo que nos envolve e pode até nos paralisar. Vencer essa ameaça deve ser nosso objetivo. Todo ser humano está sujeito a ela. Na história das civilizações e da humanidade, na narrativa bíblica e em tantos outros momentos o medo envolveu líderes, generais, presidentes, missionários e cidadãos comuns. A descrição que fizemos acima se assemelha a uma expressão encontrada nos salmos bíblicos, na experiência do rei Davi, conhecido por ser grande guerreiro e vencedor de terríveis batalhas, mas que aqui revela a fragilidade de um ser humano sujeito a seus medos e temores:

> [...] *diante do barulho do inimigo, diante da gritaria dos ímpios; pois
> aumentam o meu sofrimento e, irados, mostram seu rancor. O meu*

coração está acelerado; os pavores da morte me assaltam. Temor e tremor me dominam; o medo tomou conta de mim. Então eu disse: Quem dera eu tivesse asas como a pomba; voaria até encontrar repouso! Sim, eu fugiria para bem longe, e no deserto eu teria o meu abrigo [...]. Eu me apressaria em achar refúgio longe do vendaval e da tempestade (Sl 55.3-8).

Quem na vida, quando criança, não acordou no meio da noite com um barulho qualquer e se escondeu sob o cobertor, cobrindo a cabeça, como se a frágil cobertura fosse uma proteção inviolável contra as forças (espíritos) do mal ou de qualquer criatura que estivesse ameaçando-o? Creio que você deve ter vivido algo parecido. Pois bem, eu vivi, e muitas vezes. Lembro-me inclusive de ter tentado olhar pela brecha que eu abria lentamente no cobertor para ver se algo estava acontecendo.

O medo é algo comum a todos os seres humanos e aos não humanos também. Nossa natureza encontra no medo uma maneira de autopreservação. É o medo, de alguma forma, que nos faz atentar para o perigo, para as ameaças, e nos leva a nos preparar para o enfrentamento daquilo que está nos ameaçando a segurança. A definição de medo pode nos ajudar a entendê-lo melhor:

Medo — substantivo masculino. Estado emocional provocado pela consciência que se tem diante do perigo; aquilo que provoca essa consciência. Sentimento de ansiedade sem razão fundamentada; receio; Grande inquietação em relação a alguma coisa desagradável, a possibilidade de um insucesso etc.; temor.[1]

Dentro dessa definição, me chama a atenção esta parte: *Estado emocional provocado pela consciência que se tem diante do perigo; aquilo que provoca essa consciência.*

[1]Disponível em: <https://www.dicio.com.br/medo/>. Acesso em: 24.04.2019.

Assim me sinto, e creio a maioria das pessoas, que, mesmo sem saber ou desejar definir, em relação aos seus medos. Por isso, prefiro enxergar o medo muito mais como um sinal de alerta do que como um sentimento que alguns definem como "covardia". Não, sinceramente o medo é muito mais que covardia; ele é de fato, no mínimo, o "sinal amarelo" de meu ser que me diz: "Cuidado! Perigo à vista!" Por essa razão, me nego a definir o medo como uma atitude, ou sentimento, totalmente negativo e assumo que coragem não é a ausência de medo; é, sim, a disposição de acreditar em todas as possibilidades e, assim, racionalmente, enfrentar esses possíveis medos que surgem diante de nós.

Não considerar seus medos leva o ser humano a um estado de permanente perigo e é uma atitude infantil. Um bom exemplo disso é a atitude de uma criança diante de perigos assustadores. Atravessar uma rua, se posicionar na beirada de uma varanda, saltar de um muro etc. Essas são atitudes que uma criança ainda bem pequena provavelmente terá sem considerar o perigo. "Ela não tem medo", alguém diria, mas não é exatamente a ausência de medo, e sim o desconhecimento quase total do que entendemos como perigo. O perigo só é perigo quando nos ameaça.

Fui criado no litoral, e a praia sempre foi meu maior, melhor e preferido "parque de diversões". Cresci ganhando de meu pai presentes do tipo vara de pescar e óculos de mergulho, enquanto outras crianças preferiam carros e caminhões de brinquedo. Eu e meu irmão acompanhávamos nosso pai em suas pescarias e podíamos passar horas com ele na praia escavando a terra e fazendo "lagos" para colocarmos os peixes que ele pescara. Isso me levou a amar o oceano e me fez depois optar por me formar em engenharia de pesca.

Essa proximidade com o mar também me levou a praticar o surfe, que comecei bem cedo na minha adolescência, "pegando jacaré" com as tábuas de compensado quando nem sequer se falava em algo como *bodyboard*.[2] Menciono isso para dizer que em cima

---

[2]Prancha de um tipo de espuma plástica onde o atleta surfa as ondas deitado.

daqueles arrecifes na praia de Boa Viagem se formavam ondas que, naquela minha tenra idade e experiência, já me metiam medo. Algumas delas eu evitava, exatamente por ter esse receio de me arriscar em cima daqueles arrecifes. Algum tempo depois, passei a surfar as ondas em um outro ponto da praia onde as ondas eram maiores e mais arriscadas. Esse foi um lento processo de vencer etapas e medos. Nessa sequência, passei à outra área da praia ainda mais arriscada, na minha concepção. Por fim, cheguei ao ponto mais cobiçado da praia de Boa Viagem para os surfistas de minha época, que era o ponto do "Acaiaca", que leva o nome de um tradicional edifício residencial nesse trecho da praia. Aquilo foi uma imensa vitória de minha amadora carreira de adolescente surfista. Depois disso, vieram outras praias na costa de Pernambuco e do Brasil, que surfei, mas sempre dando passos proporcionais e vencendo meus medos. Hoje, quando passo na frente desse mesmo ponto do "Acaiaca" e olho o tamanho das ondas, fico a pensar sobre como cheguei ali temeroso de enfrentar aquelas ondas desafiadoras de então e que hoje, para mim, além de considerá-las pequenas, não me importam qualquer receio ou medo. Não surfamos mais aquelas ondas que quebram solitárias pelo risco dos ataques de tubarões, que, em virtude de problemas ecológicos causados pelo ser humano, infestam as praias de Recife, minha cidade. O medo hoje é outro, e, racionalmente, esse nós não queremos enfrentar.

Depois de todo esse tempo, visitei o Havaí e outros lugares no mundo onde ondas bem maiores quebram e alegram os surfistas locais, mas, como não dei prosseguimento à minha "carreira evolutiva de surfista", nunca as surfei. Hoje apenas admiro os que ali se jogam, mas teria muito medo de enfrentá-las. O medo, nesse sentido, é, portanto, uma defesa, que nos protege de desnecessariamente pôr em risco nossa vida, planos e projetos.

Entendo então que o medo pode ser uma reação de alerta para nossa sobrevivência, e isso é muito positivo. Alguém "sem medo" poderá estar exposto a situações de extremo perigo em que a vida estará em risco, sem que se meçam as consequências até trágicas desses atos e decisões. Assim, posso dar graças a Deus pelo medo que eventualmente sinto diante de certas situações da vida. Mas também entendo que ele pode se tornar uma ação paralisante em nossa vida e ser altamente prejudicial quando estamos diante dos planos e objetivos desafiadores que de certa forma e constantemente temos de enfrentar e que precisamos vencer.

Os perigos do medo

Sim, o medo pode ser perigoso em algumas situações, especialmente quando ele nos domina. O medo excessivo é também conhecido como fobia e pode se tornar algo de fato perigoso. A fobia, sem tecer muitos detalhes aqui, é um estado patológico do medo. Ela o antecipa, gerando também uma ansiedade que compromete nosso relacionamento com o mundo que nos cerca. É nesse caso que o medo não é apenas um sinal de alerta, e sim uma sensação de pavor e pânico que, em vez de preparar a pessoa para uma decisão de enfrentamento ou escape, é paralisante e bloqueia a relação com a causa do medo.

Um dos graves perigos do medo é quando ele se torna o elemento sabotador de seus sonhos e planos. Cada um de nós pode até ter um grau de insegurança em si mesmo e nas suas próprias forças. Como cristão, tenho aprendido e exercitado que o "frio na espinha" diante de um grande projeto é algo salutar e pode mostrar que estou exercendo um nível razoável de dependência de Deus. Esse "frio" deve significar que conheço minhas limitações. A atitude tomada após isso é o que vai dizer se a pessoa está se autossabotando ou não. Se a atitude for de desistir de um projeto desafiador baseado nas possibilidades de falha, pelo medo de não corresponder por exemplo, essa pessoa está envolvida em autossabotagem, na realidade está preparando uma armadilha para ela mesma. Não há nada de concreto que possa antecipar que não será bem-sucedida nessa empreitada, mas o simples medo nos faz olhar com negatividade e pessimismo.

Esse olhar negativo pode até acontecer, especialmente se você analisa bem todas as situações de maneira honesta e sincera. Afinal de contas, em qualquer situação há pelo menos duas possibilidades reais e com percentuais iniciais de 50% de ser bem-sucedido e outros 50% de ser malsucedido. O medo paralisante é o que vai sabotar esse plano. Ao olhar para a frente e tentar visualizar aquele plano acontecendo, a pessoa, por insegurança, pode muito bem bloquear-se e tentar se convencer de que não deve seguir adiante. Na maioria das vezes, isso não é um processo consciente e precisará de ajuda para ser esclarecido. Aqui podemos dar um exemplo prático e fictício, mas muito comum.

Uma pessoa tem uma boa capacidade na área de sua atuação. Ela sabe que pode dar conta daquela função para a qual a vaga está disponível mediante concurso ou seleção, mas, por diferentes motivos, ela é insegura. Ao olhar adiante, não consegue se enxergar naquela função e teme não corresponder. Esse temor não faz sentido, tendo em vista a sua capacidade e formação, mas o medo a possui, e o temor de não corresponder toma conta dela. Ora, a partir daí o gatilho da autossabotagem é acionado, e ela fará de tudo para não passar naquela seleção. Mas pasme: ela se inscreveu, se submeteu ao concurso, se dispôs a participar da seleção e, mesmo assim, acordará tarde e perderá aulas preparatórias por qualquer razão banal; organizará a sua mesa de estudos, mas nunca se sentará de fato nela para estudar; dirá a todos que está se esforçando, mesmo sabendo que não está fazendo esforço algum. O que a domina é o medo "paralisante" que a impede de acreditar que é possível e viável a sua presença naquela posição, ela sabe disso, mas não age nessa direção. O medo de não corresponder às expectativas, de não saber se posicionar diante dos desafios e, mesmo tendo ciência de que é devidamente capacitada, a paralisa. Ela não reage e, ao não ser selecionada, não se espanta e ainda se justifica: "Não era para mim mesmo!"

Provavelmente uma das maiores causas de autossabotagem é o medo, em suas diferentes formas. Tenho certeza de que talentos incontáveis, pessoas brilhantes, nunca apareceram e mostraram sua capacidade por terem se autossabotado pelo medo. As críticas que podem surgir e situações de fracasso no passado criam juntas uma imagem negativa que leva alguém a procurar destruir suas possibilidades de sucesso. Isso se chama autossabotagem. É evidente que a baixa autoestima é uma porta aberta para que isso aconteça. O medo de desapontar pessoas, de contrariar outros e até do próprio sucesso leva as pessoas a se autossabotarem.

O medo de Davi

Como mencionamos acima, as características de Davi no Salmo 55 são de alguém tomado pelo medo excessivo e, pela sua narrativa, quase se pode diagnosticar uma fobia de autoidentidade. A leitura desse salmo pode nos ajudar nesse particular. Leiamos com cuidado e atenção:

> Escuta a minha oração, ó Deus, não ignores a minha súplica; ouve-me e responde-me! Os meus pensamentos me perturbam, e estou atordoado diante do barulho do inimigo, diante da gritaria dos ímpios; pois aumentam o meu sofrimento e, irados, mostram seu rancor. O MEU CORAÇÃO ESTÁ ACELERADO; OS PAVORES DA MORTE ME ASSALTAM. TEMOR E TREMOR ME DOMINAM; O MEDO TOMOU CONTA DE MIM. ENTÃO EU DISSE: QUEM DERA EU TIVESSE ASAS COMO A POMBA; VOARIA ATÉ ENCONTRAR REPOUSO! SIM, EU FUGIRIA PARA BEM LONGE, E NO DESERTO EU TERIA O MEU ABRIGO. EU ME APRESSARIA EM ACHAR REFÚGIO LONGE DO VENDAVAL E DA TEMPESTADE. Destrói os ímpios, Senhor, confunde a língua deles, pois vejo violência e brigas na cidade. Dia e noite eles rondam por seus muros; nela permeiam o crime e a maldade. A destruição impera na cidade; a opressão e a fraude jamais deixam suas ruas (1-11).[3]

---

[3]Disponível em: <www.bibliaonline.com.br>. Grifos do autor.

Perceba no trecho em destaque onde a narrativa de Davi mostra claramente as características que podem diagnosticar um excesso de medo semelhante a um estado de pânico. Esse estado pode levar qualquer pessoa a desejar fugir dessa realidade, e não foi diferente com ele. Observe que ele quer "sumir", *fugir para bem longe*. Davi está tão desesperado que pede ao Senhor para destruir os seus inimigos.

Assim, o medo de Davi quase o paralisou, e de fato pode nos paralisar. Você provavelmente já se viu em uma situação onde o temor de alguma coisa ou situação o deixou sem ação. Existem pessoas que literalmente ficam paralisadas diante de situações ameaçadoras. Já ouvi depoimentos de pessoas que afirmaram que tentavam se mexer, correr, sair daquele estado e não conseguiam.

Mas não precisa ser assim. Claro que existem saídas para essas situações, e elas, na maioria das vezes, estão bem acessíveis e se constituem em um misto de força pessoal e ação sobrenatural. Se você seguir na leitura do livro de Salmos e chegar ao salmo seguinte, o de número 56, encontrará no final Davi já louvando a Deus, e esse louvor decorre de dois aspectos importantíssimos. Em primeiro lugar, perceba que Davi reitera claramente a sua confiança em Deus: *nesse Deus eu confio, e não temerei. Que poderá fazer-me o homem?* (v.11), inserindo nesse momento a ação sobrenatural de Deus. Em segundo lugar, ele já está explicando a razão de sua gratidão a Deus pelo seu livramento: *Pois me livraste da morte e os meus pés de tropeçarem, para que eu ande diante de Deus na luz que ilumina os vivos* (v.13). Esse discurso de ação de graças se estende nos salmos seguintes, e a exaltação de Deus como Aquele de quem vem a solução para nossos medos fica bem evidente.

Contudo, vimos e veremos que são dois aspectos que nos livram das armadilhas que o medo tenta nos impor: o natural, minhas forças e o poder de Deus, e o sobrenatural. Vamos discorrer um pouco sobre esses dois aspectos. Isso nos ajudará a enfrentar esses medos quando eles surgirem em nossa vida, e certamente isso vai acontecer.

A autoconfiança como antídoto para o medo

No aspecto natural, nossos medos precisam, de alguma forma, ser enfrentados. Sim, eu bem sei que nem sempre isso é fácil, mas sei que é possível. Não me tenha por simplório ou insensível, mas quero mostrar a irracionalidade de certos medos e fobias e dizer que somente racionalizando você se livra deles. Alguém tem medo de barata e foge quando uma aparece na casa; alguém sobe na mesa se vir um pequeno ratinho; e eu já vi gente que tinha medo de galinha. Ora, primeiro é preciso ser racional. Esse é um fator determinante para dar início à libertação, se racionalmente imaginarmos que a sola de nossos sapatos elimina qualquer barata e que um ratinho não tem como nos fazer mal, pois com um chute, uma vassoura ou coisa parecida acabaremos com a vida deles e nunca mais nos causarão pavor. Alguém tem medo de dormir com a luz apagada, e na maioria das vezes isso ocorre por questões espirituais. Mas racionalmente qualquer um sabe que a luz acesa ou apagada não faz nenhuma diferença no mundo espiritual. Trata-se de crendices populares, nada mais. O tratamento dessas fobias se dá no campo da exposição, em que se tenta levar a pessoa a ter convicção de que aquele pequeno animal não tem nenhuma chance diante do "gigante" que você é para ele.

Qual a base da autoconfiança que pode evitar a autossabotagem pelo fator medo? Antes de tudo, respondendo a essa pergunta, precisamos colocar aqui uma autoanálise e provavelmente uma leitura da existência de cada pessoa envolvida em um processo desse. A autoconfiança está diretamente ligada à autoimagem que cada um faz de si. Pessoas que cresceram em um lar onde o lado negativo dos fatos e situações era destacado terá dificuldades de enxergar o que há de positivo ao se defrontar com situações e desafios.

A relação medo-autossabotagem é muito próxima. Ela está diretamente ligada ao medo de correr riscos e de assumir responsabilidades, que, por sua vez, pode desencadear um processo de procrastinação de objetivos, impedindo a busca e a realização de sonhos. Talvez, numa escala de "valor impeditivo de agir", o medo se encontre bem na base, fundamentando todas as decisões e as não decisões. Ao se perceber que está ele presente frequentemente na rotina da vida, é um indicativo de que ele está sabotando a existência.

Na área da psicanálise, a autossabotagem tem muito a ver com comportamentos repetitivos. Trataremos disso mais à frente. Mas aqui apenas trago à tona o assunto para relacioná-lo com a história vivida dentro da família a que me referi há pouco. Pais que criam seus filhos sob a tutela da insegurança verão seus filhos crescerem com medo de enfrentar as situações da vida. Ao contrário, quando a criação dentro do lar é de valorização da pessoa e de suas potencialidades, estaremos criando alguém que, mesmo dentro de suas limitações, enxergará sempre a possibilidade de enfrentar os desafios e vencê-los.

Davi, nosso exemplo bíblico, foi um homem de muitas e diferentes experiências. Não se sabe muito sobre alguns detalhes da sua vida, mas é possível fazer alguma inferência sobre o motivo por que entre seus irmãos e família ele não era valorizado. Enquanto os irmãos estavam na guerra, ele estava cuidando das ovelhas e servia de "garoto de recado" entre sua família e aqueles que estavam no *front*. Esse descrédito de sua família fica claro quando Samuel vai à casa de Jessé a fim de escolher o futuro rei. Jessé coloca todos perfilados para serem vistos pelo profeta. Davi somente foi chamado porque Samuel perguntou com certa insistência: "Só são esses?" É nesse contexto que surge Davi, o qual é ungido como futuro rei de Israel.

Sinceramente, tenho lidado com pessoas que por muito menos rejeitam seus pais, abandonam a igreja, considerando-se desprezados ou desprestigiados. Davi era decidido e conhecia seu valor. E aqui está a chave para a autoconfiança se estabelecer: devo ser o primeiro a reconhecer meu valor, ter a convicção de meu potencial, e assim saber de minha vocação e possibilidades. Davi sabia que havia lutado e vencido as feras, sabia que tinha uma excelente *performance* na utilização da funda, e isso foi suficiente para ele vencer o gigante. No ministério Igrejas com Propósitos, existe um curso chamado FORMA.[4] Essa ferramenta procura mostrar a cada um de nós que as áreas de atuação ligadas às nossas potencialidades estão, na maioria das vezes, vinculadas à nossa história de vida. A FORMA é um acróstico que apresenta o seguinte:

F Formação espiritual

O Opções do coração

R Recursos pessoais

M Modo de ser

A Áreas de experiência

Dessa maneira, cada pessoa conhecendo bem seu potencial, pode otimizar o uso de suas habilidades e desenvolvê-lo, evitando assim frustrações de quem achava que seria um bom professor de crianças na igreja quando na realidade sua história de vida e habilidades formadas lá atrás precisam ser desenvolvidas. A autoconfiança de alguém que passa por essas experiências reparadoras para servir e atuar estará bem mais presente do que naquele que se lança para atuar em uma área por outras razões, e algumas delas bem escusas. Não foi apenas uma vez que deparei com gente desejosa de ser pastor ou que já o eram, mas que a base de sua decisão foi equivocada. Essa base eventualmente pode ser dividida em duas. Na primeira, a pessoa é levada a desejar essa posição por necessidade de autoafirmação. Ela precisa de aprovação dos outros e de se expor em busca desse reconhecimento, precisa de destaque e de ser algum tipo de centro das atenções. A segunda razão, diretamente ligada a essa, pode ser por conta de ela ter sido criada em um ambiente de reprovação e de não valorização de suas capacidades. Perceba que aqui uma pessoa assim está montando uma armadilha onde ela mesma cairá; a autossabotagem é feita de

---

[4]REES, Erick. *Formado com um propósito*. São Paulo: Editora Vida, 2006, 285p.

maneira involuntária. Essa pessoa não será um pastor por vocação, prejudicando sua vida e a de outros à sua volta.

Talvez seus medos estejam paralisando você. Talvez esteja montando armadilhas para si mesmo, justificando-se com esses mesmos medos. Mas é preciso que você dê esse primeiro passo, enfrente-os racionalmente. Não será algo fácil, e você precisará de ajuda externa, de alguém que possa enxergar além de você e assim ajudá-lo a corrigir os rumos. A Bíblia é sábia quando sugere que "na multidão de conselhos há sabedoria". O conselho vem de alguém que está enxergando de fora, não comprometido diretamente com aquela causa. Por isso, tenho dito e reitero aqui: busque ajuda, erga o braço, chame alguém para ajudar você. Em praticamente todas as situações em que recordo que houve necessidade de conselhos, quando estes foram solicitados e ministrados, a situação chegou a bom termo. Ninguém vai vencer os medos e a enorme chance de se autossabotar por sua própria conta. Essa busca de ajuda precisa ser algo intencional, caso contrário haverá sempre a possibilidade de se rejeitar o conselho recebido.

A confiança em Deus como antídoto para o medo

Davi, grande e perpetuamente lembrado rei de Israel, guerreiro valente, homem que punha medo em seus inimigos, teve também seus momentos de medo. No Salmo 55, anteriormente citado, são muito claros os sintomas que caracterizam o medo. Mas nessa e em outras situações iremos observar de onde ele tirava forças para prosseguir diante de tantas ameaças e de situações que lhe causavam medo. Para isso, voltemos às Escrituras Sagradas. Nelas está a resposta de onde vinha a força de superação desse gigante. Quero que você perceba que há um relacionamento entre esse homem e Deus. Não se trata de uma mera relação de religiosidade, de cumprimento de regras. Em momentos assim, em que o medo toma conta de nós e nossos adversários estão ao nosso redor, de nada adiantem liturgias, regras ou coisas semelhantes. O que vale é o seu relacionamento com Deus. Faça este exercício: leia o Salmo 56 com calma. Se preferir, grife aquilo que chamar a sua atenção no que diz respeito ao que marca um relacionamento de confiança entre Davi e Deus. Faça isso, e vamos conversar sobre esse assunto com base no que conseguirmos extrair daqui.

> *Tem misericórdia de mim, ó Deus, pois os homens me pressionam; o tempo todo me atacam e me oprimem. Os meus inimigos pressionam-me sem parar; muitos atacam-me arrogantemente. Mas eu, quando estiver com medo, confiarei em ti. Em Deus, cuja palavra eu louvo, em Deus eu confio, e não temerei. Que poderá fazer-me o simples mortal? O tempo todo eles distorcem as minhas palavras; estão sempre tramando prejudicar-me. Conspiram, ficam à espreita, vigiam os meus passos, na esperança de tirar-me a vida. Deixarás escapar essa gente tão perversa? Na tua ira, ó Deus, derruba as nações. Registra, tu mesmo, o meu lamento; recolhe as minhas lágrimas em teu odre; acaso não estão anotadas em teu livro? Os meus inimigos retrocederão, quando eu clamar por socorro. Com isso saberei que Deus está a meu favor. Confio em Deus, cuja palavra louvo, no* SENHOR, *cuja palavra louvo, nesse Deus eu confio, e não temerei. Que poderá fazer-me o homem? Cumprirei os votos que te fiz, ó Deus; a ti apresentarei minhas ofertas de gratidão. Pois me livraste da morte e os meus pés de tropeçarem, para que eu ande* [...] *(vv.1-13).*

Não se esqueça de que esse salmo vem após o 55, no qual Davi estava desesperado e com todas as características de alguém que o medo havia dominado. Então, já no final do Salmo 55 ele começa a mostrar que a sua oração, a sua busca a Deus, já havia tido efeito, e a consolação já estava se iniciando, mas aqui fica claro que a confiança tomou conta desse homem.

O clamor é percebido nos versículos 1 e 2, *Tem misericórdia de mim, ó Deus, pois os homens me pressionam; o tempo todo me atacam e me oprimem. Os meus inimigos pressionam-me sem parar;*

muitos atacam-me arrogantemente, e se intensifica no versículo 8 quando ele diz: *Registra, tu mesmo, o meu lamento; recolhe as minhas lágrimas em teu odre; acaso não estão anotadas em teu livro?* Logo em seguida, perceba que se inicia um processo de declaração de confiança, um ato de fé, um clamor. Lembre-se de que Jesus disse que àquele que clamar Ele atenderia, e muitas palavras desse tipo existem na Bíblia, deixando claro que essa é uma direção de Deus.

Comecemos com a narrativa de Marcos 10, em que o cego Bartimeu clama incessantemente a Jesus. Então, Jesus volta e atende ao seu clamor, curando-o da sua cegueira, provavelmente de nascença. De um lado, havia um homem clamando, e esse clamor estava cheio de confiança. Ele diz "Jesus, Filho de Davi", mostrando que conhecia as Escrituras, e não cessou de clamar até ser atendido. A confiança foi a chave nessa cura física.

Também houve o caso da mulher hemorrágica, episódio narrado no capítulo 5 do evangelho de Marcos. Aquela mulher tinha uma enfermidade que a atormentava havia anos e que a colocava, em sua cultura local, como indesejada socialmente. Perceba que a iniciativa dela não foi a de um clamor em alta voz, mas sua atitude foi impregnada de uma certeza absurda que mostrava a sua confiança em Jesus. Ela arriscou a própria vida ao expor-se publicamente, mas a chave de sua libertação foi a sua confiança: [...] *se tão somente tocar nas suas vestes, sararei* (v.28). E assim foi: a sua cura aconteceu por sua confiança expressa em Deus. De onde veio essa confiança? Ora, muito provavelmente de ter escutado ou, quem sabe, até visto algumas das curas milagrosas que Jesus vinha realizando na região.

São inúmeros os exemplos de onde a confiança promoveu a libertação de todos os temores. Davi viveu essa realidade. Ele ficou livre do opressor porque desenvolveu uma tamanha confiança em Deus, a ponto de acabar sendo chamado pelo próprio Deus de "homem segundo o meu coração". Voltando ao Salmo 56, vamos ver como ele demonstra ainda mais a atitude de confiança necessária para termos uma relação aberta e sincera com Deus. Veja sua declaração reafirmada e que me parece ainda convicta nos versículos 10 e 11:

Confio em Deus, cuja palavra louvo, no SENHOR, *cuja palavra louvo, nesse Deus eu confio, e não temerei. Que poderá fazer-me o homem?*

A força dessa declaração de confiança pode ser observada na repetição enfatizada da tradição literária hebraica, certo reforço naquilo que se deseja expressar quando se repete seguidamente uma expressão: *Confio em Deus, cuja palavra louvo, no* SENHOR, *cuja palavra louvo,* para em seguida dizer que ele não temeria o homem, pois nada lhe poderia fazer. Ora, humanamente falando, é claro que o homem poderia causar-lhe o mal, mas ele confiava que o Senhor não o permitiria.

Percebe a diferença do Davi do Salmo 55 e do mesmo Davi no Salmo 56 e o que fez toda a diferença? Deixe-me responder: a confiança embasada na relação profunda que existia entre Deus e esse homem.

A confiança em Deus nos ajudará a superar todo medo. No clássico da literatura cristã escrito por Bruce Wilkinson, intitulado *Segredos da vinha*, existe um episódio verídico narrado por ele. Diz ele que estava tendo uma sessão de mentoreamento com um pastor que lhe pedira ajuda e que entre eles havia essa relação mentor—mentoreado havia anos. Ao começar a narrar seu drama, não demorou muito Bruce disse: "Ok, pode parar. Já entendi sua situação". Então, passou a explicar: "Quando você conheceu Cristo, seu conhecimento das coisas de Deus e de como elas aconteciam era praticamente zero, e a sua dependência dEle era enorme". Ao dizer isso, Bruce levantou-lhe a mão direita e prosseguiu: "Quando você foi crescendo na prática de fazer as coisas para Deus, ganhou o hábito de fazer bem feito, mas pela sua própria capacidade, e a sua dependência de Deus diminuiu muito e ficou quase em nada, afinal de contas você já sabia fazer tudo [...] assim a sua dependência de Deus foi para baixo". Bruce baixou-lhe a mão esquerda. "Perceba que você está muito confiante em sua própria capacidade adquirida e pouco ou nada dependendo de Deus e confiante nEle", continuou. Assim, ele foi baixando a mão da dependência e subindo a mão da autoconfiança e completou: "Quando essas duas mãos se encontrarem no mesmo nível, você estará em sério perigo".[5]

O medo é um de nossos maiores sabotadores. Ele pode de fato ser um alerta, quando observado com cuidado, e pode ser uma grande ameaça, quando desprezado. Desprezar o medo é uma atitude infantil e imatura; cuidar dele e administrá-lo, no entanto, mostra serenidade e maturidade. O que vai dizer como você agirá diante dele é o grau de confiança que tem em Deus.

Sugestões para fazer crescer a sua confiança em Deus

Uma das coisas que me têm ajudado em minha caminhada com Deus e diante dos grandes desafios que tenho encontrado é fazer um exercício de memória. Eu procuro motivos pelos quais deveria confiar em Deus que estão nas Escrituras Sagradas e também busco lembrar da ação de Deus em diferentes momentos de minha existência em que Ele, pela sua misericórdia, se mostrou presente me ajudando, motivando, convencendo etc. Vou expor aqui algumas delas, com a intenção de partilhar uma experiência pessoal que pode ajudar qualquer pessoa quando o medo bater na sua porta tentando sabotar a sua vida e os seus planos. Uma frase que li certa vez dizia: "Quando o medo bater na sua porta, mande a fé atender e você verá que não há ninguém lá fora".

1. Considere que o que Deus pensa a seu respeito é maior e mais importante do que a sua própria percepção.

   "Porque sou Eu que conheço os planos que tenho para vocês", diz o Senhor, "planos de fazê-los prosperar e não de lhes causar dano, planos de dar-lhes esperança e um futuro" (Jr 29.11).

---

[5]WILKINSON, Bruce. *Segredos da vinha*. São Paulo: Editora Mundo Cristão, 2002.

2. Considere que você é criação de Deus e que Ele o criou com um propósito.

   Antes que te formasse no ventre te conheci, e antes que saísses da madre, te santifiquei; às nações te dei por profeta (Jr 1.5).

3. Considere que Deus tem o poder de realizar. Todas as coisas foram criadas por Deus e Ele tem poder sobre a criação.

   Confiem para sempre no SENHOR, pois o SENHOR, somente o SENHOR, é a Rocha eterna (Is 26.4).

4. Considere o zelo de Deus pela sua criação maior, o ser humano.

   Porque assim diz o SENHOR dos Exércitos: Depois da glória Ele me enviou às nações que vos despojaram; porque aquele que tocar em vós toca na menina do Seu olho (Zc 2.8).

5. Considere a promessa de provisão.

   Pois, se Deus assim veste a erva do campo, que hoje existe, e amanhã é lançada no forno, não vos vestirá muito mais a vós, homens de pouca fé? (Mt 6.30).

Claro que poderíamos mencionar aqui outras diferentes e variadas palavras e promessas de Deus que nos dão motivos para confiarmos nEle e seguirmos nossa vida sem que o medo e consequentemente a autossabotagem comecem a fazer parte de nossa vida e, pior, nos dominem por completo. Mas também existem outras considerações que precisamos levar em conta e que nos ajudarão nessa jornada.

Uma das coisas que complementam essas promessas bíblicas são as experiências pessoais vividas. Antes, permita-me uma observação. Tenho visto, em diferentes situações, uma tendência de muitos cristãos em transformar experiência individual em regra, e às vezes em doutrina eclesiástica. Isso é muito mal. Claro que a experiência pode me ajudar a conduzir processos, mas nunca os tornar padrão de procedimento. O que eu vivi me serve de experiência, mas nunca de norma. Quando olho para minha história de vida com Deus, posso pinçar inúmeras situações nas quais a fidelidade do Senhor se fez presente, e isso me impulsiona a crer que Ele continua comigo, se eu não me desviei de Seus princípios.

A confiança pelas experiências

Considere aqueles momentos em sua vida com Deus nos quais o que aconteceu só pode ser creditado a uma ação direta e exclusiva do Espírito Santo. Sem margem para coincidências ou acasos. Eu tenho algumas histórias assim. Algumas são a base para a minha confiança. Às vezes, são coisas simples, mas singulares; outras vezes, situações mais complexas, porém bem definidas da ação de Deus. Darei aqui um exemplo que é bem comum na vida de líderes cristãos e que, claro, já ocorreu comigo.

Um pastor, em determinado momento de sua vida, começa a duvidar de seu chamado pastoral. Isso acontece com certa frequência e, às vezes, põe por terra planos que eram de Deus, mas que não se sustentaram.

Minha decisão para seguir no ministério foi algo que considero como uma experiência sobrenatural. Minha vida seguia bem tranquila e normal como a de qualquer jovem nos seus 20 e poucos anos. Encontrava-me na universidade cursando o que eu queria, estava na igreja com uma turma e uma visão que me agradava bastante, tinha planos futuros de estudar fora e ser pesquisador na minha área de biologia aquática, professor universitário, consultor de projetos etc. Tudo seguia muito bem, até que o meu coração passou a se inquietar com a questão de fazer a obra de Deus. Envolvi-me profundamente com as ações da igreja e comecei a ter algumas experiências bem diferentes. Pessoas me diziam com naturalidade que esse era o meu caminho, gente tinha visões comigo bem interessantes, várias situações nas quais a coincidência passaria bem ao largo. Tudo isso

EU E OS MEUS MEDOS

me incomodava, pois eu tinha meus planos de seguir carreira como engenheiro de pesca e amava essa profissão.

Para ser mais breve, um dia o pastor de minha igreja, que iria viajar para um período sabático, me convidou para pregar na sua despedida. Só isso me parecia sobrenatural, dado o zelo que aquele pastor tinha de seu púlpito, e entregá-lo a um jovem inexperiente seria algo no mínimo temerário. Aceitei o desafio porque não me foi dada a oportunidade de rejeitar. Em casa, naquela tarde tentando preparar algo sobre o que falar à noite, me liga o pastor. "Tudo bem?", perguntou-me. Eu disse que estava com dificuldades, mas ele relevou e afirmou: "Deus vai dar uma palavra a você". Mais uma ação sobrenatural, sem dúvida, para quem conhece aquele homem de Deus. Voltei para o meu quarto, e surgiu uma contenda com Deus. Eu estava com medo de fazer feio, de me atrapalhar, de não saber me comportar diante daquela igreja lotada... Preste atenção: em meio a uma crise de chamado, essa situação aconteceu. Eu estava quase desesperado, e a tentativa de me autossabotar já estava em curso. Fiz então uma oração: "Senhor, como me chamas para ser pastor se eu não consigo preparar aqui uma simples mensagem para hoje? Minha mente está vazia, e a angústia me consome agora... Percebes que eu não tenho capacidade de ser um pastor? Ajuda-me".

Deitei de bruços na cama, e a minha Bíblia estava aberta diante de mim. Então, eis que um vento soprou naquele quarto, e as páginas se passaram, movidas por aquela brisa. Quando o vento cessou, olhei para a Bíblia aberta numa página e enxerguei apenas uns versículos diante de todas aquelas letras, apenas as seguintes se destacavam. Lembre-se de que minha oração foi: "Percebes que eu não tenho capacidade de ser um pastor?"

> *E é por Cristo que temos tal confiança em Deus; NÃO QUE SEJAMOS CAPAZES, POR NÓS, DE PENSAR ALGUMA COISA, COMO DE NÓS MESMOS; MAS A NOSSA CAPACIDADE VEM DE DEUS, o qual NOS FEZ TAMBÉM CAPAZES DE SER MINISTROS DE UM NOVO TESTAMENTO, não da letra, mas do espírito; porque a letra mata e o espírito vivifica (2Co 3.4-6, grifos do autor).*

Não havia ninguém comigo, ninguém me deu esse texto, ninguém tentou me persuadir, ninguém sequer sabia do drama existencial que eu vivia; ali era eu e Deus e ninguém mais. Claro que depois dessa tremenda experiência a minha convicção de chamado nunca se abalou. Eu, pelo medo do futuro e talvez pelas incertezas, estava me sabotando e por pouco não desisti de tudo. Não vou seguir contando experiências pessoais, pois elas são de fato pessoais e dizem respeito à minha vida e relação com Deus. Mas compartilhei isso aqui para ilustrar que, depois dessa experiência, fui para o seminário e tive um longo e difícil processo de reconhecimento por parte de alguns líderes de minha denominação que não me aceitavam como candidato ao ministério por diferentes motivos. O que me sustentou em todas essas lutas que enfrentei foi a certeza de que naquele dia aquela experiência foi real, e eu só podia negar isso se quisesse enganar a mim mesmo. Se eu tivesse dado espaço àquele medo sabotador, onde estaria? Não sei, mas a realidade é que segui ao chamado, estudei teologia, plantei uma igreja que já mencionei aqui, que é uma referência no mundo anglicano internacional, e por fim me tornei arcebispo primaz da Igreja Anglicana no Brasil. O medo não me paralisou pela confiança que adquiri em Deus no que Ele fez e faz na minha vida.

(Meu conselho)

A autossabotagem pelo medo estará sempre por perto e aproveitará qualquer oportunidade para interferir no desenrolar de sua existência em diferentes áreas. Talvez esteja bem perto de você agora. O medo pode estar ameaçando sua vida familiar, sua carreira profissional, seu ministério ou qualquer outra área de sua vida. E ele ganhará espaço se você não considerar que Deus está interessado em seu "sucesso". Ele, na realidade, é o maior interessado nisso tudo. No meio de toda luta e quando o medo se aproximar tentando dizer algo que você não é, mostrar uma situação que não existe, iludir a sua mente tentando sabotar seu futuro, lembre-se: é a confiança em Deus e a certeza de que Ele não o decepciona que podem fazer você enfrentar e vencer esses medos.

Quais são meus planos? Acredito neles?

Um dia é preciso parar de sonhar, tirar os planos das gavetas e, de algum modo, começar...
AMYR KLINK

Todo ser humano, de uma forma ou de outra, faz planos. Dificilmente encontraremos alguém sem qualquer plano para sua existência. Começar uma jornada, mesmo que você saiba para onde deseja ir, precisa ter um plano. Até no GPS você tem de colocar um endereço. Talvez por não ser alguém proativo, uma pessoa pode não ter um plano de longo alcance, mas normalmente ela pensa no que fará de sua vida em algum momento, na semana que vem, no ano vindouro ou no dia seguinte. Em qualquer dessas situações, um plano mínimo deve ser estabelecido, e esse plano pode ser sabotado por essa mesma pessoa, mesmo que ela não tenha ideia de que o esteja fazendo. Talvez você mesmo já tenha feito isso, sabotado seu próprio plano, e nem sequer tomou conhecimento desse fato.

É muito comum ver que na proximidade do fim do ano muitas pessoas fazem uma lista de coisas que querem empreender no ano que se aproxima. Mas boa parte delas nem sequer inicia esses planos. A verdade é que nem sempre somos bons na hora de planejar. Eu classifico a proatividade como uma virtude. Assim, ela deve ser cultivada, pois traz enormes benefícios a quem dela faz uso. Costumo dizer, apenas a título de ilustração, que particularmente não gosto de falar que tenho algum sonho; sonho, quem o tem está dormindo. Mas, para planejá-lo, preciso estar bem acordado. Na realidade, creio de fato que o uso do termo "sonho" nos transporta para uma dimensão do "quase empírico e inatingível", que fica na dimensão do *eterno desejo* ou coisa parecida. Minha imagem de planejar é: sentado à mesa, com papéis onde estão escritos *insights*, ideias, visões e tudo que me levará a montar aquele plano, de forma que tenha todas as chances de ele ser executável.

Não quero ser simplório, mas tenho a tendência de ser pragmático quando se trata de planos. Sabe por quê? Simplesmente porque, se assim não for feito, a chance de sabotarmos nossos próprios planos é muito grande. Pense comigo e, por favor, seja humilde, a ponto de, se necessário, reconhecer suas falhas. Coloque no espaço abaixo os planos ou "sonhos" que você pensou no último dia de ano-novo ou em outra ocasião. Vamos lá, faça um esforço.

Agora vamos ao ponto prático. Escreva no quadro seguinte quais desses planos foram executados ou estão de fato em processo de execução?

Se você foi sincero, provavelmente deve haver alguns desses planos, ou quem sabe todos eles, que nem sequer estão em fase de execução. Se estão, parabéns! Siga assim. Mas a partir de agora vamos tentar identificar o que não nos permite ou bloqueia de executar nossos planos. Claro que pode haver uma variação nisso tudo. Situações inesperadas, perdas, enfermidades, tudo isso que não depende de nós não pode ser visto como falha, mas como "intempérie" que pode acontecer a qualquer pessoa, por mais centrada em seus planos que ela esteja. Porém, considere a possibilidade de seus planos não estarem sendo executados por alguns motivos.

Fazendo planos

Não é incomum traçar planos que pelo grau de dificuldade venham a ser muito difíceis de serem executados. Eles podem ter sido superestimados. Não é também incomum sermos envolvidos por um clima emocional que nos cegue o bom senso e a percepção da realidade, e assim olhamos com um otimismo exagerado e traçamos esses tipos de planos. Em qualquer planejamento, a realidade precisa estar bem evidente, caso contrário seremos pegos de surpresa várias vezes. Alguém, por exemplo, que planeja morar fora do país com a família, vende tudo e usa todas as suas economias nesse projeto, faz um orçamento e passa a viver com prazo determinado, pois suas despesas são fixas, mas suas entradas não são perenes. Nesse plano, devem ser levados em consideração imprevistos, que custarão dinheiro, que sairá da única fonte existente, as economias. O otimismo exagerado de que um emprego iria surgir logo e a renda seria estabilizada pode trair os planos e precipitar o retorno à terra natal, agora sem as reservas e os investimentos de antes e, pior, sem o emprego. Esse ambiente emocional nos tira da realidade e causa esse tipo de problema. Mas pode ser que o plano fosse exequível, mas outro problema surgiu: ao longo do caminho perdemos o foco e, quando percebemos, havíamos nos distanciado daquele objetivo inicial.

No entanto, o plano exequível pode ruir por outro motivo – a falta de foco. Foco é um dos segredos para se executar qualquer tarefa e especialmente um bom plano. O bom plano será aquele que for executado sem distrações. Nós nos distraímos muito facilmente. Somente uma mente muito bem treinada consegue manter o foco todo o tempo, mas quem faz planos precisa de foco.

Por muito tempo, meu escritório era na minha residência. Eu passava a maior parte do meu tempo trabalhando em casa. Foi preciso muito foco para poder produzir naquele ambiente. A cozinha está perto, assim como a TV, a cama e o sofá. Em um simples olhar distraído, esses "recursos" podem ganhar a briga pelo foco. Em cada tipo de plano, podem surgir algumas particularidades que nos levam a perder o foco. As histórias dos grandes vencedores sempre mostram que houve foco naquilo que os levou ao sucesso. Por esses e por outros motivos, podemos acabar desistindo de nossos planos no meio do caminho. Mas não é isso que queremos em nossa vida;

pelo contrário, queremos que nossos planos sejam feitos com clareza, dentro da realidade, em um ambiente racional, e que nosso foco seja apurado para que não deixemos nossos planos pelo meio do caminho. Pela minha experiência e pelo que vejo diante de mim constantemente, não é difícil boicotarmos nossos próprios planos. Como cristão, percebo que a presença de Deus neles é mais que necessária; ela é vital. Afinal de contas, quem rege toda essa sinfonia é Ele, os planos são dEle e nós estamos inseridos na maioria das vezes como mordomos para executá-los. A Bíblia nos mostra algo bem interessante sobre isso, tanto em versículos de sabedoria quanto na própria experiência de pessoas que se perderam na execução dos planos de Deus para a sua vida. Alguns versículos de sabedoria nos dizem isso:

> *Ao homem pertencem os planos do coração, mas do Senhor vem a resposta da língua (Pv 16.1).*

> *Ouçam agora, vocês que dizem: "Hoje ou amanhã iremos para esta ou aquela cidade, passaremos um ano ali, faremos negócios e ganharemos dinheiro". Vocês nem sabem o que lhes acontecerá amanhã! Que é a sua vida? Vocês são como a neblina que aparece por um pouco de tempo e depois se dissipa. Ao invés disso, deveriam dizer: "Se o Senhor quiser, viveremos e faremos isto ou aquilo". Agora, porém, vocês se vangloriam das suas pretensões. Toda vanglória como essa é maligna (Tg 4.13-16).*

> *Se não for o Senhor o construtor da casa, será inútil trabalhar na construção. Se não é o Senhor que vigia a cidade, será inútil a sentinela montar guarda. Será inútil levantar cedo e dormir tarde, trabalhando arduamente por alimento [...] (Sl 127.1,2).*

Poderíamos buscar mais desses versículos, pois a Bíblia ensina sobre isso em diferentes situações e contextos. Esses, no entanto, nos servem de base para o que pretendo abordar aqui sobre nossos planos e a presença de Deus. Uma breve passagem por eles nos leva a perceber que a falibilidade dos planos está em tê-los como trunfo pessoal. Fazê-los na ponta do lápis ou no teclado de um computador, usar modelos matemáticos e de outras formas, mas esquecer de colocar Deus adiante de cada plano é o maior erro. Em resumo, a sabedoria bíblica vai nos levar a entender que os planos de fato pertencem antes a Deus, que tudo rege, do que a nós, que nossa limitada capacidade de prever os fatos deve ser sempre levada em conta, que aquele que é onipresente deve estar presente nos nossos planos e que é inútil trabalhar apenas por nossa capacidade laboriosa, desgastar-nos, pois é Ele quem vigia a cidade.

Sabotando seus planos

Pode parecer algo inconcebível que alguém esteja elaborando um plano de vida, de carreira, um projeto pessoal, familiar etc. e, em seguida, seja essa mesma pessoa quem vai iniciar um processo de boicote de cada um desses planos. É algo parecido com o que a expressão popular chama de "um tiro no pé" (no próprio pé). Você pode imaginar que alguém tenha um plano e ele mesmo esteja fazendo de tudo para que esse plano não se concretize? Pois, creia, isso não é algo incomum e tem sido estudado pelos que pesquisam sobre o comportamento humano. Muito se tem avançado, e parece que, quanto mais se conhece sobre o assunto, mais se descobre sua abrangência. Existem ainda no ser humano muitos medos e necessidades bem desconhecidos.

Trazendo para o plano pessoal, vamos tentar enxergar por onde começa essa autossabotagem? Pense comigo: quais planos eu poderia estar sabotando? Meus planos profissionais? O que lhe vem à mente? Adiar, interromper, medo de exposição, medo de falhar? Em situações como essas, o ponto de partida está em reconhecer que isso está de fato acontecendo. Nos principais planos de grupos de apoio do tipo AA (Alcoólicos Anônimos) e tantos outros grupos que nasceram dessa inspiração, todo o ponto de partida é assumir o estado em que se encontra. A negação paralisa qualquer processo de libertação. É difícil. Mas eis a pergunta que deve ser feita: "É possível?"

É importante lembrar algo. Responda a esta pergunta: "O plano que você está elaborando ou executando lhe dá algum 'frio na espinha?'". Sim? Ótimo! Isso significa que esse é um plano relevante e desafiador. Não deixe que esse medo se avolume e lhe sabote a oportunidade de triunfar em algo relevante. Tenho como premissa que tudo que quero empreender em meu ministério deve à primeira vista gerar esse "frio na espinha". Desde a minha maior rotina, que é pregar dominicalmente; às vezes, três vezes, até os grandes desafios de plantar igrejas e visões novas, fazer mudanças, se em nada disso eu sentir aquele "frio na espinha" para em seguida entregar a Deus em detalhes, sou tentado a duvidar e achar que estou indo só por minha conta, e isso não desejo jamais. Projetos desafiadores custam, dão "medo", mas são esses que impactam o mundo. O pr. Carlito Paes, da Igreja da Cidade, em São José dos Campos, um parceiro no ministério, costuma dizer que "um ministério que não custa nada, não vale nada". Uma das maneiras de saber se você está autossabotando um plano é identificar se você está sempre buscando atalhos e evitando confrontos e desafios. Faça isso, pois pode ajudar muito.

Na Bíblia, há uma história de alguém que soube planejar muito bem uma tarefa que aos olhos humanos parecia impossível, inexequível, coisa de quem não conseguia enxergar a realidade. Mas tudo demonstrou ser diferente quando os planos foram elaborados, especialmente quando Deus foi colocado adiante. A história da reconstrução dos muros de Jerusalém sob a liderança de Neemias serve de modelo para processos de liderança e gestão de projetos em diferentes contextos, religiosos ou não. Neemias tinha tudo para facilmente se autossabotar, mas a verdade é que ele venceu cada uma das etapas dessa possível autossabotagem olhando firme para quem estava por trás dos planos.

É possível observar a experiência de Neemias sob a ótica de uma vida que está em movimento, em que as coisas são feitas simultaneamente. Mas aqui eu quero observar e lhe mostrar que, por meio de um simples plano, que nem chegava a ser um plano, uma vez que não havia nada traçado, não passava de um desejo, pôde surgir algo grandioso, de sucesso absoluto. Afinal, tudo nasce de uma ideia.

Neemias era copeiro do rei. Ele era aquela pessoa que provava a bebida e a comida antes de servi-las ao rei, um tipo de segurança pessoal do monarca. Ele soube que a sua cidade, Jerusalém, estava destruída e que todas as muralhas haviam sido derrubadas. Ele se entristece e ora a Deus pedindo uma oportunidade. Chegar à presença do rei não seria um problema, uma vez que seu trabalho era exatamente no palácio real. Um dia, Neemias chegou entristecido diante do rei, o qual o questionou sobre o motivo de sua tristeza. Para resumir, o rei autorizou que Neemias fosse a Jerusalém ajudar a seu povo. Agora imagine a tarefa: reconstruir as muralhas e a cidade sem saber exatamente o que estava acontecendo. Na realidade, ele apenas tinha uma profunda tristeza pelas notícias recebidas de seu irmão, mas não fazia ideia do que encontraria ali. O relato bíblico do quadro da cidade é citado no seu livro, conforme revelado no texto a seguir:

> E eles me responderam: "Aqueles que sobreviveram ao cativeiro e estão lá na província, passam por grande sofrimento e humilhação. O muro de Jerusalém foi derrubado, e suas portas foram destruídas pelo fogo". Quando ouvi essas coisas, sentei-me e chorei. Passei dias lamentando, jejuando e orando ao Deus dos céus (Ne 1.3,4).

Observe que há tristeza, mas não há ainda um plano. Contudo, a maioria dos bons planos surge de uma inquietação. Grandes líderes que impactaram a humanidade eram pessoas inquietas. E essa grande tristeza se justifica pela importância destas instituições: o templo de Jerusalém e a própria cidade. Neemias sai inquieto para ver de perto o que está acontecendo e, ao chegar naquele lugar, se revela como um excelente projetista. Ele monta um plano em detalhes para ser executado por todos. Sua primeira atitude foi motivar o povo, e é o que ele faz. A narrativa bíblica mostra como ele fez isso.

> *Então eu lhes disse: Vocês estão vendo a situação terrível em que estamos: Jerusalém está em ruínas, e suas portas foram destruídas pelo fogo. Venham, vamos reconstruir o muro de Jerusalém, para que não fiquemos mais nesta situação humilhante* (Ne 2.17).

Toda motivação deve ter uma base sólida. Motivação não se constrói apenas com palavras positivas e reeducação cerebral, como se defende nestes dias. O poder da ação está na ação de Deus. Veja no texto como Neemias entendeu isso e compartilhou como Deus, de maneira sobrenatural, o enviou para liderar essa obra.

> *Também lhes contei como Deus tinha sido bondoso comigo e o que o rei me tinha dito. Eles responderam: "Sim, vamos começar a reconstrução". E se encorajaram para esse bom projeto* (Ne 2.18).

O povo que estava com a autoestima baixíssima pelas derrotas impostas pelos inimigos se levanta e atende ao apelo desse líder e o resultado é a total reconstrução daquelas muralhas.

Neemias podia ter se sabotado

A tarefa era das mais difíceis. Os inimigos eram de fato ameaçadores, e o povo estava desmotivado. Chegando em Jerusalém, havia duas possibilidades: uma era, como já vimos, ele se levantar e motivar o povo, traçando um plano e conseguindo a vitória que muitos acreditavam ser possível; outra era ele ceder ao cenário do caos, reconhecer a impossibilidade e as dificuldades e voltar para a Pérsia, onde vivia em segurança no palácio real. Essa segunda possibilidade estava bem perto dele e, sinceramente, devia ser a mais atrativa. Neemias escutava chacotas todos os dias vindas de seus inimigos;

eles zombavam da possibilidade de ele tentar reconstruir aquilo tudo. No olhar de hoje, pode até parecer algo simples, mas, pela história, eu posso garantir que não era.

Como você responde pode dizer para onde você vai

Todos os dias, esse grande líder era ameaçado pelos seus inimigos que assistiam constantemente à sua disposição de reconstruir os muros e a cidade. Aqui entra a importância do foco naquilo que se está executando e o fechar os ouvidos aos críticos. Certa vez, ouvi uma entrevista de um escritor em que os jornalistas perguntavam o que ele achava de seus críticos, se tinha raiva deles. Ao que aquele homem respondeu: "Absolutamente, os críticos são apenas pessoas que têm um ponto de vista diferente do meu". Mas os críticos de Neemias eram mais do que isso; eram pessoas invejosas e que queriam ver a derrota dele. Veja o que eles diziam constantemente:

> Quando Sambalate soube que estávamos reconstruindo o muro, ficou furioso. Ridicularizou os judeus e, na presença de seus compatriotas e dos poderosos de Samaria, disse: "O que aqueles frágeis judeus estão fazendo? Será que vão restaurar o seu muro? Irão oferecer sacrifícios? Irão terminar a obra num só dia? Será que vão conseguir ressuscitar pedras de construção daqueles montes de entulho e de pedras queimadas?" (Ne 4.1,2).

Em todos os projetos que empreender, esteja pronto para cingir-se de resiliência, pois a oposição se levantará, mas o combate deve estar ligado à dependência de Deus. Isso é algo constante, acontece todo tempo. E é exatamente nesse ponto que a autossabotagem nos ameaça de perto. Pense comigo: a tarefa é muito difícil, o povo está desanimado, os inimigos estão em nosso encalço, apontando nossas fragilidades. Aqui é quando sua visão fica cinzenta, sua esperança começa a murchar e você, que havia pouco enxergava um plano sensacional, começa a ver tudo isso por outro ângulo. É aqui que aquela "segunda voz" deve ter começado a falar mais alto, tentando dominar a situação. Aqui é onde começamos a enxergar as dificuldades e, se não houver uma reação, a passagem de volta para a Pérsia é comprada. O diferencial na vida de Neemias foi um, e apenas um, o que evitou, e eu diria, bloqueou toda a possibilidade de autossabotagem nesse plano: a confiança em Deus.

A confiança em Deus começa com uma relação pessoal com Ele, com intimidade que leva à certeza de que Ele está com você nos projetos empreendidos. Perceba que Neemias fez uso disso quando compartilhou com os seus aquilo que Deus havia feito por ele, mostrando assim que Ele poderia fazer de novo. Essa é a confiança que bloqueia a autossabotagem.

Na nossa vida, não pode ser diferente. Temos planos e projetos para empreender em nossa vida e na própria obra de Deus, por meio do ministério da igreja. Olhamos adiante e, claro, enxergamos as dificuldades, mas, se vivemos com Deus e temos experiência em andar com Ele, se somos parte de uma comunidade e temos visto Deus atuar no meio dela de maneira que impossíveis se tornaram possíveis, vidas foram transformadas e verdadeiros milagres ocorreram, esse é o nosso maior combustível para desfazer todo plano de autossabotagem que podemos estar montando. Considere alguns planos que poderiam ter morrido se a autossabotagem tivesse vencido:

Josué tinha um povo não bélico, que acabara de vagar durante quarenta anos pelo deserto, e que agora recebe a ordem de Deus para tocar trombetas, "bater panelas" e dar várias voltas em torno da cidade fortalecida de Jericó. Como você acha que essa ordem foi recebida pelo povo: que o barulho faria vir ao chão as muralhas da cidade-fortaleza (que segundo os arqueólogos eram largas o suficiente para se fazer uma autopista), ou que tudo aquilo não passava de algo ridículo e sem sentido? Josué facilmente poderia ter dito: "Pessoal, valeu! Chegamos até aqui, e isso já foi uma vitória. Vamos voltar para o deserto e viver lá". Era muito mais fácil fazer isso. Mas Josué não se deixou autossabotar, porque ele vivia com Deus, havia experimentado de Deus, vira os milagres no deserto: ele vira a água brotar da rocha, o mar dividir-se em duas paredes de águas, o Jordão se abrir... A vida de Josué com Deus deu a ele confiança de que o Senhor tudo podia e, se Ele estava mandando, não havia outro plano senão executar o plano divino.

O conhecido episódio narrado no capítulo 13 do livro de Números também nos mostra que nossa resposta pode dizer para onde iremos. Moisés e o povo de Israel estavam diante da terra prometida. Eles podiam ver a terra, mas, antes de tentar entrar, Moisés envia, de Cades-Barneia, onde estavam acampados, doze espias. É interessante notar que essa região é relativamente perto de onde eles saíram, o monte Horebe. Dali até a fronteira de Canaã, Cades-Barneia, são apenas onze dias de viagem, segundo Deuteronômio 1.2. Os espias entram na terra, veem tudo e tomam nota dos detalhes. No retorno, quando da prestação de contas a Moisés, dez deles estavam assombrados com o que viram e deram um relatório pessimista, sugerindo que não entrassem na terra, pois seriam trucidados pelos homens gigantes que havia ali, além de chamarem atenção para outros aspectos que consideravam negativos. Dos doze, apenas dois deram outro tipo de relatório, um relatório confiante de que, se era promessa de Deus, eles triunfariam.

Eles viram com outros olhos os cachos de uvas gigantes que precisavam ser carregados em varas. Os dez talvez tenham visto o tamanho dos homens que carregavam aqueles cachos, enquanto os dois talvez tenham olhado para os cachos e como deveriam ser saborosas aquelas uvas. Os dez olharam para o problema, e os dois olharam para as vantagens. A maneira com que olharam para a situação determinou as suas respostas e o futuro deles. Enquanto os dez responderam: "Não entremos na terra....", os dois, Josué e Calebe, disseram: "Avante, entremos, pois o Senhor nos abençoará e conquistaremos a terra". Infelizmente, o povo respondeu ao apelo dos dez amedrontados.

O resultado foi que os israelitas não entraram na terra. Atente para o fato de que em apenas onze dias depois do monte Horebe os israelitas estiveram prestes a possuir a terra prometida, sua herança de Deus. Mas a sua resposta determinou seu futuro. A partir dali, seguiram-se mais quarenta anos, até que chegassem diante de Jericó, e aquela geração que respondeu não ao apelo de Calebe e Josué morreu inteiramente no deserto. Apenas dois deles entraram na terra prometida diante de Jericó, exatamente Josué e Calebe, sendo a nova geração liderada por Josué, como já vimos aqui.

O nome disso é confiança forjada na experiência com Deus. Esse é o antídoto para a autossabotagem quando ela ameaçar seus planos e projetos. Você precisa confiar no Deus de ontem, no Deus de hoje e no Deus de amanhã.

(Meu conselho)

Você deve ter muitos planos. Que bom que os tem! Portanto, preste atenção: coloque Deus adiante de todos eles e consulte-O em sua fase de planejamento. Tente perceber se há bom senso em seu planejamento, se tudo se ajusta ao propósito de Deus e se a Palavra de Deus o homologa. Consulte também conselheiros, pois caminhar sozinho é uma atitude pouco louvável. Na multidão de conselhos há sabedoria, diz a Bíblia (cf. Pv 11.14). Depois de tudo isso, inicie a execução com sabedoria e, quando a autossabotagem o chamar, diga assim: *Estou executando um grande projeto e não posso descer* (Ne 6.3).

As armadilhas pessoais comprometem minha família?

A verdadeira felicidade está na própria casa, entre as alegrias da família.

Lev Tolstói

A família é a base da sociedade e, por mais que tentemos nos desviar desse conceito, não há como definir a sociedade sem a base familiar. Mesmo com todas as mudanças que a sociedade enfrenta e que levam também à redefinição por muitos do conceito de família, dificilmente se definirá uma sociedade sem que se envolva diretamente a família. Parece óbvio que, sendo a primeira escola, a família se torne o alicerce onde se desenvolve e se forja o caráter de qualquer pessoa. Baseado nisso, tem sido dito que uma sociedade que vai bem tem por detrás uma família que, da mesma forma, vai bem. Todo investimento feito para que se tenha uma família equilibrada refletirá em uma sociedade melhor. Mas, da mesma forma que a família é a base para o sucesso, ela é também uma instituição ameaçada por diferentes frentes.

Os mais liberais dirão que a família é uma ideia burguesa e retrógrada que deve ser suprimida. O *Manifesto comunista* combate a família, ao afirmar que a base dela é o capital e que, ao acabar com o capitalismo, uma das consequências é acabar com a família. Uma das declarações desse manifesto diz: "A família burguesa desvanece-se naturalmente com o desvanecer de seu complemento. E uma e outra desaparecerão com o desaparecimento do capital".[1]

É perceptível que a estrutura familiar dentro do padrão judaico-cristão incomoda a ideologia que procura manipular as mentes e dominar pela consciência cauterizada das pessoas. Como cristão, sou e serei um eterno defensor do modelo familiar judaico-cristão protagonizado nas Escrituras Sagradas. Tenho desenvolvido programas, escrito livros, implantado ministérios em igrejas que procuram ajudar as pessoas a enxergarem a família como a base de uma sociedade equilibrada e justa. Entendo que esse é o plano perfeito de Deus, e tudo que ameace essa estrutura deve ser visto com muito cuidado e atenção.

Deus investiu na família, e uma breve observação na história da civilização judaico-cristã, que formou a consciência ocidental nos levará a concluir sobre a importância dessa instituição no plano divino. Deus iniciou tudo por meio de uma família: a criação se deu pela formação de uma família (Adão e Eva), o resgate da criação se deu por meio de uma família (Noé e sua prole); a revelação de um Deus pessoal e a ênfase em um relacionamento desse tipo com a divindade se deram por meio de uma família (Abraão e Sara); o plano da terra prometida como modelo para a humanidade se deu por intermédio dessa mesma família de Abraão; a libertação do povo hebreu da escravidão do Egito se deu em uma ceia familiar (Páscoa); o último dos profetas, João Batista, que anunciou a vinda de Jesus, o Salvador da humanidade, veio do seio da família de Zacarias e Isabel; Jesus veio ao mundo por meio da família de José e Maria; a igreja se desenvolveu dentro dos lares de famílias como a de Priscila e Áquila; e a igreja na Europa se iniciou na casa de Lídia

---

[1]Marx, K.; Engels, F. *Manifesto do Partido Comunista*. São Paulo: Global Editora, 1986, p. 32.

em Filipos. Não há dúvida de que a família está no centro do coração de Deus e de Seu plano para a humanidade.

Mas a família vem sendo fortemente ameaçada nos últimos tempos. São muitos os fatores que ameaçam o bom desenvolvimento da família hoje, e nosso objetivo aqui não é listá-los. Este livro trata da autossabotagem, e o que vamos ver neste capítulo é que nós mesmos, às vezes, podemos ser uma ameaça à estrutura familiar, sem perceber que estamos minando-a. Mas como pode ser isso? Nós, mesmo defendendo a família, podemos ser uma ameaça para ela? Sim. Venha comigo, e vejamos como isso pode acontecer.

A percepção da autossabotagem nem sempre é fácil

Temos visto que a autossabotagem se desenvolve em muitos casos fora de nossa consciência. Montamos "armadilhas" para nós mesmos, ainda que não tenhamos a clara consciência de que isso está acontecendo. Uma das maneiras em que a autossabotagem acontece no ambiente familiar é pelo que se chama de comportamento repetitivo. No âmbito da psicanálise, tem se trabalhado muito esse conceito, ao mesmo tempo que se tem conseguido muitos êxitos em verdadeiras libertações de grilhões que dominavam famílias por gerações. O comportamento repetitivo está tão "impregnado" em nossa maneira de viver que parece já fazer parte de nossa natureza, mas não faz; antes, é um desvio, um erro cometido por muitas pessoas que, sem perceber, têm trazido prejuízos razoáveis às famílias e, consequentemente, ao desenvolvimento de uma sociedade funcional.

Ao que parece, há uma autodefesa que nos impede de perceber que estamos desenvolvendo esse comportamento. Um motorista de ônibus de uma linha dentro de qualquer cidade faz o mesmo trajeto todos os dias, repete aquilo diversas vezes no mesmo dia e dezenas ou centenas de vezes no mês. Mas talvez ele mesmo possa criticar ou lhe chamar a atenção aquele outro que trabalha como ascensorista em um elevador, subindo e descendo por horas e horas, apertando os mesmos botões e fazendo as mesmas perguntas aos "passageiros": "Que andar, por favor?" Talvez você mesmo pense: "Que coisa entediante ficar o dia todo fazendo a mesma coisa" e não perceba que você também está desenvolvendo um comportamento repetitivo em alguma área de sua vida. A verdade é que é algo às vezes bem sutil, que somente enxergamos com ajuda externa e possivelmente de um profissional. Nas atividades comuns do dia a dia, nas pequenas ações da rotina, isso faz pouca ou nenhuma diferença; a maioria das pessoas age assim, seja no ambiente de trabalho, seja em outro ambiente.

Preste atenção nos hábitos alimentares da maioria das pessoas, eles são muito repetitivos, mas isso não causa prejuízos a ninguém, no máximo pode privar as pessoas de experimentar novos sabores. Lembro-me de que em minha infância e adolescência saíamos como família para tomar sorvete em uma tradicional sorveteria de minha cidade, cinco filhos e meus pais. Invariavelmente, eu pedia os sabores chocolate e baunilha. Essa sorveteria fechou as portas por muito tempo e recentemente foi reaberta sob nova administração. Estive lá com amigos e fui escolher os sabores. O que você acha que eu pedi? Sim, exatamente; não consegui pedir outro sabor senão chocolate e baunilha. O que isso me traz de prejuízo? Absolutamente nada; depois experimentei outros sabores.

Repetindo atitudes e sabotando os relacionamentos

No entanto, existem comportamentos repetitivos que destroem vidas e famílias inteiras, motivo por que precisamos olhar com cuidado para eles e, ao identificá-los, procurarmos nos libertar deles, antes que destruam nossa vida e família. Certa vez, uma jovem engravidou em um relacionamento sem futuro, algo passageiro. Quando ela descobriu que estava grávida, nem sequer estava mais com o rapaz. A criança veio ao mundo, e ela foi mãe solteira. Algum tempo depois, eu soube que ela estava de mudança para outra cidade, quando me dei conta de que ela já estava se relacionando com outro rapaz e se expondo aos mesmos riscos de engravidar novamente sem ter ainda um relacionamento sólido. A precipitação parece ser na vida dessa pessoa um comportamento repetitivo que está minando suas chances de ser feliz no futuro, tendo uma relação mais estável com mais chance de ser duradoura, como desejamos naturalmente.

Atendi um casal em meu gabinete, e o caso era bem interessante, mas infeliz. Desejavam casar e estavam juntos fazia pouco tempo. Quando me informei da história de vida de ambos, chamou a minha atenção o expresso comportamento repetitivo dos dois. Ambos vinham de um relacionamento anterior em que se casaram por motivos de gravidez; ambos disseram que, não fosse a gravidez, não teriam se casado; ambos afirmaram que casaram-se sem amar o parceiro; ambos se separaram achando que foi uma verdadeira libertação. Sim, você pode dizer, apenas uma coincidência.

Talvez. Mas o fato a frisar é que eles estavam se relacionando havia pouco tempo, afirmavam amar profundamente um ao outro, já existia uma gravidez em curso, e a situação era um pouco confusa de ambos os lados... Deu para entender?

Sem necessariamente perceberem, essas pessoas estavam se autossabotando por meio de um comportamento repetitivo, com uma forte ligação com sua história de vida. Mas é exatamente assim que ocorre. Repetimos os mesmos erros, sejam nossos ou de nossos pais, e assim montamos uma armadilha para o nosso futuro, nesse caso de maneira inconsciente, mas que nem por isso deixa de ser uma forma de autossabotagem.

E por que isso acontece? Ora, na maioria das vezes ocorre porque os conflitos que levaram àquele comportamento não foram resolvidos. Pode ser algo que veio desde a infância acompanhando a pessoa. Lacunas se formam e, em algum momento, essa conta será pedida e poderá causar transtornos reais na nossa existência. O processo de libertação e cura de tudo isso vai requerer abrir feridas aparentemente cicatrizadas.

Não é fácil para ninguém expor sua vida e encarar questões desagradáveis que durante anos trabalhou para esconder e que considerava sepultadas. Mas no processo de libertação de comportamentos repetitivos isso é muito necessário, e será seguido de algo ainda mais difícil, que é transformar essas questões e promover mudança nesse comportamento. Isso, porém, é possível, especialmente se a ajuda externa estiver associada ao poder de Deus. A primeira grande vitória nesses casos, creio ser a percepção desse comportamento repetitivo e destrutivo. A terapia que envolve apenas o presente sem considerar o passado e a necessidade de trazê-lo de volta, mesmo sabendo da dor que isso pode causar, está fadada apenas a aliviar dores e medos, mas dificilmente poderá libertar dos comportamentos destrutivos e repetitivos. A razão é simples: a causa desses comportamentos está bem fincada no passado. É semelhante a "fantasmas" que perturbam vidas. A libertação envolve trazer à tona o que causou o dano. Convém lembrar que, se a causa é inconsciente, somente trazendo-a à consciência poderá haver cura.

Simples técnicas não funcionarão

Temos visto técnicas que se propõem a restaurar vidas, e mais recentemente alguns têm chamado isso de "reprogramação de DNA". Ora, acho isso tão absurdo quanto alguém dizer que vai recriar alguém para que seja bem-sucedido. Uma das grandes descobertas recentes da humanidade foi a possibilidade de leitura do DNA. O cientista Francis Collins, que coordenou o projeto genoma mundial, afirma em seu livro *A linguagem de Deus*[2] que o DNA é a marca de Deus em cada pessoa, é a linguagem com a qual Ele escreveu sua existência, e ninguém pode mudar o seu DNA. Um simples ou complicado comportamento está longe de ser seu DNA, e ainda mais longe está a nossa capacidade de reprogramar o nosso DNA com ferramentas

[2]COLLINS, Francis. *A linguagem de Deus*. São Paulo: Editora Gente, 2007.

que misturam manipulação emocional com "neuroliguística". Se alguém quiser reprogramar o DNA, deverá ir na cadeia e refazer as ligações, e quem faz isso não é a repetição de palavras ou gritos de guerra, mas é necessário um médico e cientista altamente qualificado para "mexer" na cadeia de DNA de alguém.

Há algo em relação ao DNA que nos ajuda na compreensão e até na possível libertação de comportamentos repetitivos, e isso é a certeza de que o DNA é singular; não existem dois seres iguais dentro do conceito psicológico. A alma humana é única. Ninguém experimenta as mesmas experiências, mesmo nascendo e vivendo debaixo de um mesmo teto. Existe uma frase atribuída a Heráclito que diz que "é impossível um homem se banhar duas vezes nas águas de um mesmo rio", isto é, tudo na vida é dinâmico e muda, muda o rio, e muda o ser humano.

Deus precisa ser envolvido no processo

Nenhuma técnica ou "ferramenta" emocional funcionará na libertação de comportamentos danosos e repetitivos de maneira permanente. Agostinho, bispo de Hipona, disse: "Fizeste-nos, Senhor, para ti, e o nosso coração anda inquieto enquanto não descansar em ti". Aqui eu introduzo a necessidade de que a libertação de nossos comportamentos repetitivos e danosos esteja submetida a Deus. Ou envolvemos o Criador, ou nada será permanente ou duradouro. Tenho também a convicção de que toda libertação envolve uma "equação": MUDANÇA = EU + DEUS. O profeta Jeremias disse algo que podemos aplicar:

> "Então vocês clamarão a mim, virão orar a mim, e eu os ouvirei. Vocês me procurarão e me acharão quando me procurarem de todo o coração. Eu me deixarei ser encontrado por vocês", declara o SENHOR, "e os trarei de volta do cativeiro [...]" (Jr 29.12-14).

A busca pela libertação precisa envolver a pessoa que busca com aquele que liberta, em um processo sincero e puro. Essa é uma relação verdadeira, e, mesmo entendendo que o contexto é de uma libertação de Israel como nação, podemos atribuir, sim, a busca pessoal de libertação de nosso cativeiro, pois o Deus que liberta uma nação liberta também um cidadão dessa nação. Às vezes, um processo de libertação de nossos medos e temores, de nossas histórias que guardamos em um lugar secreto por anos a fio, requererá de nós muita coragem. Para alguns, poderá ser um tipo de experiência apavorante. Ninguém se alegra ou fica imune diante de seus "monstros" e "fantasmas". Eles nos apavoram mesmo, mas homens e mulheres de coragem e fé podem enfrentá-los e vencê-los, mesmo que lhes pareça inicialmente impossível. Acredito que a única maneira de vencer esses comportamentos danosos e repetitivos que perseguem as pessoas é enfrentá-los, levando em consideração que esse é um processo às vezes lento e longo, diferente de um ansiolítico que se toma e traz alívio, mas nada consegue na cura de compulsões e comportamentos repetitivos.

Você já percebeu que não será um processo fácil; entrando nele, lidaremos com coisas que na realidade estávamos mantendo ocultas e bem guardadas até de nós mesmos. Incomoda porque vai revelar em cada pessoa um ser humano frágil, errante, quando na realidade gostaríamos de manter a imagem de alguém livre de problemas, especialmente desse tipo. Mas não tenha receio de se descobrir. Todos nós erramos, e a Bíblia, na sua imensa sabedoria, mostra os errantes e os que obtiveram sucesso, mostra os fracos e os fortes, mas mostra também quando um fraco se torna forte. Nesse particular e preenchendo essa lacuna, vale a pena citar e absorver a definição de *forte* que o apóstolo Paulo nos deixou:

> *Mas Ele me disse: "Minha graça é suficiente para você, pois o meu poder se aperfeiçoa na fraqueza". Portanto, eu me gloriarei ainda mais alegremente em minhas fraquezas, para que o poder de Cristo repouse em mim. Por isso, por amor de Cristo, regozijo-me nas fraquezas, nos insultos, nas necessidades, nas perseguições, nas angústias. Pois, quando sou fraco, é que sou forte (2Co 12.9,10).*

Para Paulo, somos fortes quando nos permitimos ser fracos e assim buscamos o socorro nAquele que deve ser a nossa única fortaleza. Só os que assumem sua fraqueza buscam ajuda. Por isso, Paulo considera ser forte quando está fraco e, assim, busca a ajuda do alto. Mas experimente esse vasculhar de sua vida familiar, e vamos tentar identificar comportamentos que estejam por trás de nossas insistentes incorrências nos mesmos erros, quer nossos, quer "herdados" de nossos pais. A partir de agora, vamos considerar algumas situações fictícias que servirão de exemplos de comportamentos que podem estar fazendo que você, inconscientemente, esteja se autossabotando pelas repetições de comportamentos inadequados e danosos. Lembre-se de que aquele casal que mencionei no início não era um caso fictício; foi pura realidade. Os dois nem haviam se dado conta do que estavam fazendo e viam aquele comportamento repetitivo, no máximo, como mera coincidência.

Os terapeutas, sejam psicólogos ou psicanalistas, especialistas nas terapias que procuram ajudar os que sabotam sua própria vida, afirmam que, quando pedem aos clientes que descrevam seus pais, em muitos casos o que se revela é que eles se parecem muito com seus pais no que diz respeito ao comportamento. Para surpresa de muitos, as semelhanças são mais acentuadas exatamente com quem tem mais dificuldades. É mais comum do que se imagina perceber que uma mãe rígida e hostil se repete no cônjuge da mesma forma hostil e rígida. Segundo esses terapeutas, a escolha inconsciente do marido ou da esposa é uma tentativa de mudar aquele pai ou aquela mãe e de buscar o amor que faltou. O casamento termina sendo aquela busca esperançosa de encontrar o prazer e a alegria que ainda não encontramos. Mesmo percebendo que o cônjuge não chegará lá, nos iludimos achando que vamos conseguir torná-lo mais próximo daquilo que desejamos, e fazemos isso, segundo os especialistas, por conta da fantasia infantil de que conseguiremos mudar nossos pais. Essa transferência é uma realidade presente em muitos dos casamentos com que eu lidei e lido no âmbito do meu ministério.

Casos de autossabotagem nos relacionamentos

Um marido "abusa" da boa vontade da esposa, trata-a com indiferença e a considera ignorante. Explora sua boa vontade e tem certeza de que até o desprezo que ele dá a ela não a levará a pedir um divórcio e se separar. Ele abusa disso constantemente, tratando-a com desdém. Na realidade, ele pode ter escolhido casar-se com ela porque está enxergando nela a sua mãe, que era tratada da mesma forma pelo seu pai. Ele se revoltava porque a mãe não tomava nenhuma atitude e agora fica "testando" a sua esposa para ver se ela reage e faz alguma coisa. Na realidade, ele está tentando fazer que sua mãe reaja, transferindo essa imagem para a sua esposa. Ela não vai reagir, não vai tomar nenhuma atitude; ela é igual à mãe dele. Ele está repetindo o comportamento de seu pai na opressão de sua esposa (mãe).

Uma esposa é casada há vinte anos, tem três filhos, luta para manter o relacionamento, e essa "luta" acontece de um lado só. O marido não gosta que ela trabalhe fora, mesmo sendo formada e capacitada e tendo tido bons empregos antes de se casarem. Ele, mesmo assim, não admite. Ela, por sua vez, insiste. Nesses vinte anos de casamento foi tudo o que ela fez: insistir para que ele mudasse e entendesse que era bom para todos, inclusive do ponto de vista financeiro. O divórcio parecia algo bem claro no caso deles; seria uma libertação para ela, que ainda teria tempo de recomeçar a vida de outra maneira. Mas ela não quer se separar e prefere lutar e lutar para ver se consegue mudanças, que com certeza nunca virão. A autossabotagem segue aqui nesse ciclo interminável. Nesse caso, ela pode estar repetindo o comportamento da mãe, que foi até o fim da vida tentando fazer que seu pai permitisse que ela pudesse trabalhar, o que nunca aconteceu. Ela está tentando inconscientemente conseguir a vitória que a mãe nunca obteve. Assim, ela repete o comportamento da mãe e sabota a sua própria felicidade, mas, provavelmente, nunca terá essa consciência, pois, na sua concepção, ela é uma verdadeira guerreira que luta pela família, mas que anula a sua própria felicidade. Assim, morrerá infeliz.

Um jovem está noivo de uma linda e dedicada garota. Ele acha que a ama e, provavelmente, é verdade. Mas algo o persegue: em um relacionamento anterior em que ele havia se entregado totalmente com imensa dedicação, depois de alguns anos de convívio e planos para o futuro, sua noiva, sem explicações convincentes, resolveu romper a relação e desmarcar o casamento. Ele fica transtornado, não entende, se questiona e, como quem faz uma promessa, afirma que nunca mais se entregará totalmente a alguém. Quando o noivado se aprofunda, ele resolve se antecipar e rompe o relacionamento, sem uma razão aparente, alegando que o amor acabou. Isso acontece mais uma vez da mesma forma e depois mais uma vez, até chegar nesse atual relacionamento que, ele, da mesma forma, rompe, sem razões aparentes. O que está acontecendo é mais um episódio de comportamento repetitivo reativo, que funciona como autodefesa, uma proteção. Com medo de ver a relação rompida da parte dela e o sofrimento dele acontecer, ele se antecipa e rompe a relação. E imputa em sua mente que foi ele que rompeu, assim privando-se de sofrimento. Ele assume o falso comportamento de quem deixou de amar por alguma razão, defendendo-se de sofrer mais uma vez. O medo do futuro incerto o fez sabotar a própria felicidade.

Existe algo em comum em todos esses três casos: a autossabotagem foi uma defesa antecipada contra o sofrimento. Em todos esses casos, tudo poderia dar certo, desde que houvesse uma exposição da situação a alguém, um terapeuta por exemplo, que, de fora, pudesse enxergar a malignidade desses comportamentos com isenção e ajudá-los a se libertarem das repetições que eles estavam promovendo, causando danos a seu futuro e felicidade.

Deus pode promover a libertação dessas prisões do passado

Como cristão, defino tudo em minha vida pela observância dos princípios bíblicos. Creio que a Bíblia contém elementos que podem, de fato, servir como instrumentos de libertação de casos como esses e outros mais, quando tentamos sabotar nossa existência pelo medo das experiências vividas no passado. Um poeta de meu tempo de juventude dizia em sua canção que "o passado é uma roupa que não nos serve mais".[3] Mas a Palavra de Deus nos traz à luz o entendimento de que nosso passado não deve ditar o rumo de nosso futuro; ele existiu, está ali, nós sabemos e nos lembramos dele, mas ele não define nosso futuro, porque Deus é Senhor do passado, do presente e do futuro. Quando Ele diz que é o Deus de Abraão, de Isaque e de Jacó, que é Deus dos vivos, e não dos mortos (Mt 22.32), quando Jesus diz que quem põe a mão no arado e olha para trás não é apto para o reino de Deus (Lc 9.62), está mostrando que Ele tem o controle de tudo e que nossa vida deve espelhar isso, em confiança nEle.

A história da salvação está repleta de gente que tinha tudo para sabotar a sua própria existência, mas a confiança em Deus os fez triunfar em situações inimagináveis. Pinço aqui a história de Jó. Homem rico, bem-sucedido no que fazia, tinha uma linda família, e era assim conhecido como um homem exemplar. Em um diálogo com Deus, Satanás diz que ele é bom porque tudo lhe vai bem e desafia Deus a testar a fé de Jó, tirando-lhe tudo que tinha: família, saúde, riquezas. Na narrativa bíblica, Deus autoriza que Satanás lhe toque em tudo, menos na sua vida. Jó perde os seus bens, adoece, seus filhos morrem, é acusado de pecador, sendo ele muito justo, mas permanece fiel ao Senhor. A Bíblia diz que, depois de recuperado, Deus restituiu a Jó tudo o que ele tinha.

Contudo, houve um intervalo de tempo em que ele esteve bom, curado, mas ainda não tinha obtido nenhuma restituição. Houve esse tempo em que ele poderia ter praguejado, culpado literalmente Deus e o mundo. Jó tinha elementos para fazer isso; afinal de contas, sem uma razão plausível aos seus olhos, ele havia perdido tudo. Em toda a narrativa e intervalos de tempo desse drama

---

[3]"Velha roupa colorida", de Belchior. Álbum *Alucinação*, 1976, <https://www.letras.mus.br/belchior/44464/>.

vivido por esse homem, não se percebe em nenhum momento uma só declaração que possa sugerir murmuração. Ao contrário, Jó ficou conhecido na história como um homem que exercitou a paciência, que é parte do fruto do Espírito Santo em nós, mostrando assim que estava tomado por Deus, cheio de Deus, e somente por isso suas declarações eram deste tipo:

> Então Jó respondeu ao SENHOR [...] "Meus ouvidos já tinham ouvido a teu respeito, mas agora os meus olhos te viram. Por isso menosprezo a mim mesmo e me arrependo no pó e na cinza". Depois que o SENHOR disse essas palavras a Jó, disse também a Elifaz, de Temã: "Estou indignado com você e com os seus dois amigos, pois vocês não falaram o que é certo a meu respeito, como fez meu servo Jó. Vão agora até meu servo Jó, levem sete novilhos e sete carneiros, e com eles apresentem holocaustos em favor de vocês mesmos. Meu servo Jó orará por vocês; eu aceitarei a oração dele e não farei com vocês o que vocês merecem pela loucura que cometeram. Vocês não falaram o que é certo a meu respeito, como fez meu servo Jó". Então Elifaz, de Temã, Bildade, de Suá, e Zofar, de Naamate, fizeram o que o SENHOR lhes ordenara; e o SENHOR aceitou a oração de Jó. Depois que Jó orou por seus amigos, o SENHOR o tornou novamente próspero e lhe deu em dobro tudo o que tinha antes. Todos os seus irmãos e irmãs, e todos os que o haviam conhecido anteriormente vieram comer com ele em sua casa. Eles o consolaram e o confortaram por todas as tribulações que o SENHOR tinha trazido sobre ele, e cada um lhe deu uma peça de prata e um anel de ouro. O SENHOR abençoou o final da vida de Jó mais do que o início. Ele teve catorze mil ovelhas, seis mil camelos, mil juntas de bois e mil jumentos. Também teve ainda sete filhos e três filhas. À primeira filha deu o nome de Jemima, à segunda o de Quézia e à terceira o de Quéren-Hapuque. Em parte alguma daquela terra havia mulheres tão bonitas como as filhas de Jó, e seu pai lhes deu herança junto com os seus irmãos. Depois disso Jó viveu cento e quarenta anos; viu seus filhos e os descendentes deles até a quarta geração. E então morreu, em idade muito avançada (Jó 42.1,5-17).

A confiança em Deus elimina toda ansiedade que possa nos envolver. E não é por nada necessariamente sobrenatural, mas, sim, pela razão e pela lógica de que Deus sempre deseja o melhor para nós. Se ansiedade é o medo injustificável de um mal futuro, e isso nos leva a sabotar nossa própria vida e planos, a confiança em Deus aniquila esse medo e assim nos priva da autossabotagem. Talvez você esteja vivendo algo semelhante nestes dias em que se debruça sobre esta leitura. Sua vida pode estar sendo sabotada pelas suas atitudes desenvolvidas no seu casamento ou mesmo dentro de sua família como um todo.

(Meu conselho)

Procure olhar para dentro de seu casamento ou família e tente identificar comportamentos repetitivos que possam estar prejudicando o seu bom desenvolvimento. Não identificou nada? Calma, isso acontece. Mas vamos tentar novamente. Desta vez, procure identificar os comportamentos que você cresceu vendo dentro de casa. Atitudes de sua mãe, de seu pai, coisas que eles faziam e que você não gostava, que na realidade o incomodavam muito. Agora tente perceber se você, de alguma forma, anda repetindo alguns desses comportamentos. Tente enxergar se eles acontecem no seu relacionamento com seu cônjuge, noivo ou até mesmo namorado(a). Essa identificação, feita com muita sinceridade pode ser o primeiro passo para a libertação de uma futura autossabotagem ou mesmo daquela que já está acontecendo e que você acabou de identificar.

Vou dar meu exemplo. Fui criado por uma mãe extremamente dedicada, trabalhadora e que fazia de tudo para sustentar a nossa casa decentemente. Minha mãe era espontânea, brincalhona e fazia muito barulho em casa. Se eu tivesse anotado, poderia ter publicado um livro dos axiomas de dona Lenita, esse era seu nome. Ela era muito boa nisso. Uma de suas linguagens de amor eram palavras de afirmação. Nunca escutei minha mãe dizer nada que fosse depreciativo ou negativo. Ela sempre tinha uma palavra de afirmação do tipo "vai dar tudo certo". Meu pai era o oposto de minha mãe. Tinha o mesmo padrão de preocupação em prover, era muito trabalhador e nunca o vi negar-se a trabalhar ou deixar de aproveitar uma oportunidade de crescimento para o bem de nossa família. Mas sua linguagem de amor era esta: provisão, promover a segurança da família. Cresci sem muita proximidade física dele. Ele não tinha nem de perto o hábito de nos beijar, abraçar ou coisas desse tipo. Carinho com minha mãe em público, não me recordo de ter visto. Esse foi o ambiente em que fui criado.

Logo cedo, percebi que, se permitisse, cresceria repetindo o comportamento de meu pai, e na família que viesse a formar isso poderia estar presente. Eu repetiria, sim, tenho certeza disso. Ainda me vi, no início de meu casamento, expressando e repetindo algumas características da personalidade de meu pai. Mas entendi que Deus tudo poderia em minha vida, e logo ganhei a consciência de que meu futuro não precisava estar atrelado tão fortemente ao meu passado. Deus me dizia isso por meio de Sua Palavra:

> *"Que é que vocês querem dizer quando citam este provérbio sobre Israel: 'Os pais comem uvas verdes, e os dentes dos filhos se embotam'? "Juro pela minha vida, palavra do Soberano SENHOR, que vocês não citarão mais esse provérbio em Israel"* (Ez 18.2,3).

Tomei uma decisão que me guiou e me livrou de sabotar minha própria existência com suposições ou condicionamentos de um passado escravizante. Disse a mim mesmo e pedi a ajuda de Deus para decidir que eu iria me comportar diretamente de forma oposta àquilo que me incomodava na minha relação com meus pais, especialmente com meu pai. Passei a ser estratégico e vigilante. Pedia a Deus que me fizesse perceber, e logo eu estava enxergando as coisas bem definidas, e assim se tornou mais fácil não repetir os comportamentos danosos que eu identificava neles. Isso tinha que trazer algum resultado, e trouxe: meus filhos são hoje dois homens feitos, e ambos são carinhosos. O toque físico é parte de nossas vidas, e nos abraçamos em qualquer lugar. Enquanto minha querida esposa esteve viva nos 36 anos de nosso relacionamento, nossos gestos de carinho e toque físico, nossos beijos e mãos dadas ou abraços sempre foram a marca de nossa relação. Se você me vir abraçado com algum homem bonito e barbudo em um *shopping-center* de Recife, pode ter a certeza de que se trata de um de meus filhos. Considero que derrotei a possibilidade de autossabotagem em minha família, combatendo desde a raiz a sua influência e as mentiras que as circunstâncias tentavam me passar, confiando no Deus que tudo pode no que se refere a nos ajudar nessa batalha contra nossos temores.

Como identifico e sigo minha vocação e chamado sem me trair?

*Vocação que não é regada
é vocação que não é realizada.*
DAVIDE PACHECO

Como cristão, creio que cada pessoa tem um chamado de Deus para realizar algo. Na minha concepção, Deus não criou ninguém sem propósito para a sua existência. Não crer nisso seria decretar a inabilidade de Deus e a Sua incapacidade criativa. Todos, sem exceção, têm um chamado, no entanto nem todos irão ouvi-lo, e ainda nem todos, mesmo ouvindo, irão cumprir cabalmente esse chamado. Isso significa que existe muita gente neste mundo que tem consciência de que tem um chamado especial para realizar algo dentro do propósito de Deus, mas que não o realiza e se distancia do propósito divino para a sua vida. O número de pessoas frustradas neste mundo é muito grande e não para de crescer. Cada chamado não realizado é mais um frustrado que surge.

É possível que uma pessoa não tenha consciência desse chamado. Um grande número de pessoas nunca saberá seu chamado específico e trata de se convencer de que tem um papel na humanidade, mas que qualquer outra pessoa poderia ou poderá realizar aquilo que ele seria chamado para fazer. Mas na "economia" de Deus não é bem assim que funciona. Deus, quando escolhe, aponta, busca e cerca, até que essa pessoa possa estar convencida de que existe um propósito maior para a sua vida.

Definição de vocação *versus* chamado

Dentro de meu pensamento, faço uma diferença entre vocação e chamado. Atribuo à primeira (vocação) uma tendência que faz parte de nossa formação. Por exemplo, sempre foi minha vocação me destacar; fisicamente alto, de voz aspirada, forte e de volume elevado, sempre me destaquei em meios onde vivi, e a posição de liderar, motivar, sempre esteve presente em minha existência. Essa era a minha vocação, aquilo que gosto e faço bem feito. Nunca tive vocação para jogar futebol; o máximo que consegui foi jogar como goleiro, e reserva. Já o chamado, atribuo como sendo algo sobrenatural, no sentido de que é inumano. Vejo a relação vocação *versus* chamado desta forma: Imagine uma linha que desce do céu, na direção da terra. Uma seta apontando para a terra e saindo das nuvens. Algo assim:

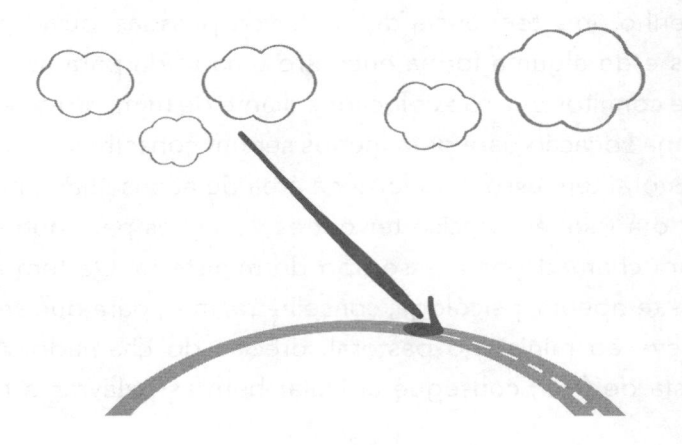

Percebeu? Imaginou? Pois bem, no meu diagrama, isso representa o chamado de Deus; vem dEle, se inicia nEle, é vontade dEle e somente Ele pode homologar ou não. Como é algo sobrenatural, a ideia de vir dos céus é exatamente para representar que vem de Deus, parte dEle. Uma pessoa que tem um chamado para algo específico na obra de Deus, como por exemplo o ministério pastoral, vai sentir, experimentar algo que lhe diz isso. Vai ser incomodada, receber palavras de exortação, seja pela Bíblia, seja pelas pessoas, em palavras proféticas. Se for de fato algo de Deus, chegará um tempo onde isso será tão incômodo que toda resistência será em vão.

O chamado genuíno, procedente de Deus, vem com o selo da responsabilidade de Deus. Um pastor já bem idoso e experiente me disse em meio às minhas crises de chamado: "Meu filho, quando Deus chama, Ele se responsabiliza; quando a pessoa se chama, é responsabilidade dela". Na realidade, ele estava tentando me dizer que ninguém pode imputar o peso das dificuldades de um eventual ministério a Deus quando Ele não chamou aquela pessoa. Já vi isso acontecer, e me parecia claro que aquilo estava se passando exatamente como o pastor me dissera. A seta vinda de cima mostra que o chamado vem de cima, e nunca de baixo.

Já a vocação é algo que vem de minhas experiências de vida e, claro, de alguma forma Deus está envolvido nelas, pois tudo na minha vida deve estar ligado a Deus. Mas a vocação tem a ver com o que eu gosto de fazer e aprendi a fazer no curso de minha vida. Se eu tenho uma tendência de cuidar de pessoas, ouvi-las, aconselhá-las e de alguma forma encontro uma saída para muitos dos casos de conflitos que são colocados diante de mim, provavelmente tenho uma vocação para pelo menos ser um conselheiro, e o ministério pastoral tem esse lado forte na área de aconselhamento. Mas, associado a isso, eu preciso ter outras vocações para que se configure um chamado para esse tipo de ministério. Ela tem a vocação para terapeuta, psicóloga, conselheira, mas, para que seja algo que a leve ao ministério pastoral, precisa do chamado. Alguém que gosta de falar, consegue articular bem as palavras e tem um excelente entendimento bíblico, além de ser desinibido etc. Essa pessoa pode ter a vocação para falar em público, mas, para ser um pregador da Palavra precisará de um chamado, pois a vocação apenas não gera ministério.

Imagine agora uma linha vinda da terra e se dirigindo ao céu. Ela sai da terra, do natural, da raiz de tudo, das origens. Isso representa então a vocação, algo que vem de mim pela minha história de vida.

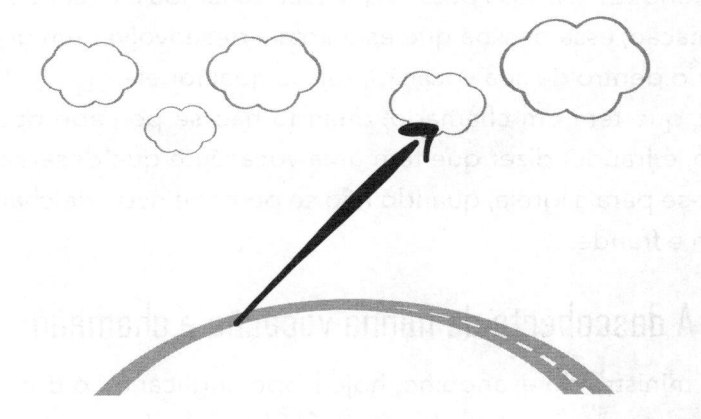

A isso, chamo vocação, algo meu, de minha formação e história de vida. Isso significa que é algo mais natural do que sobrenatural. Agora preste atenção: alguém pode perguntar onde está o ministério dessa pessoa, onde ela se encontra e como se define.

Essa é a parte mais importante desse diagrama, porque vai mostrar exatamente onde se encontra o ministério de uma pessoa chamada e vocacionada. Preste atenção nesse círculo branco no meio do círculo maior. Exatamente ali se encontra o ministério, onde a linha do chamado se encontra com a linha do ministério. Nessa interseção, o chamado de Deus encontra uma vocação genuína e nasce um(a) ministro(a), um(a) missionário(a), um(a) pastor(a). Compreendeu? É a essa pessoa que Deus chamou e encontrou nela uma vocação, essa pessoa que está apta a desenvolver um genuíno ministério dentro de sua vocação, seja lá qual for ela.

Dizer que tem um chamado, quando não se percebe qualquer vocação, é fraude; dizer que tem uma vocação e que deseja disponibilizar-se para a igreja, quando não se percebe nada de chamado, também é fraude.

A descoberta de minha vocação e chamado

Sou um ministro do evangelho, hoje bispo anglicano no Brasil, mas nem sempre isso foi algo claro e definido ou, pelo menos, aceitável na minha perspectiva. Minha experiência de "chamado" e consequente uso de minha vocação não foi algo que eu possa dizer que foi tranquilo. Meus planos pessoais eram outros bem diferentes. Como estudante de engenharia de pesca, eu estava realizando quase um sonho, sempre ligado ao mar, como já mencionei. Entrar no mercado de trabalho e viver de observar, pesquisar, cuidar e produzir peixes e camarões era de fato algo muito especial para mim, e essa era a direção que minha vida estava seguindo.

A partir de meu envolvimento na igreja e na liderança da juventude, foi crescendo em mim um desejo grande de ministrar a Bíblia, o que passei a fazer no âmbito da juventude de minha igreja. Até que algo passou a me incomodar muito fortemente: pensamentos não deixavam mais minha mente sobre ser um pastor e pregador da Palavra de Deus. Durante muito tempo (meses), descartei isso, tentando me convencer de que aquilo era algo que me encantava, mas que eu não precisaria necessariamente levar tão a sério. Vou interromper aqui para lhe mostrar que desde muito cedo, eu já estava tentando sabotar a minha vida, desconsiderando meu chamado, que hoje sei que era verdadeiro e sincero. Perceba que tento montar uma armadilha para mim mesmo para que eu não consiga exercer meu chamado apropriadamente. Eu passo a afirmar que existem outros planos, que outras pessoas podem fazer isso, e vou chegar ao ponto de negar a minha própria capacidade para me tornar um pregador do evangelho e pastor de igreja. Voltando ao assunto da descoberta de minha vocação e chamado, passei a receber telefonemas de uma pessoa que insistia em me convencer de algo, até que conseguiu, não me deixando outra opção. Ela me fez prometer que, se fosse verdade, eu diria, só que eu não imaginava que ela iria me dizer que Deus estava me incomodando e chamando para eu ser um pastor, pois essa era a verdade, e foi exatamente o que ela disse. Sem poder negar, pedi segredo e me fechei em minhas lutas interiores, pois não era de fato esse o plano que eu tinha para a minha vida e carreira.

Depois desse dia, as coisas pioraram, e de fato Deus passou a me incomodar. Pessoas tinham sonhos comigo nesse sentido, outros me perguntavam por que eu não me tornava um pastor, até que em um evento de jovens e em meio a uma multidão que se juntava após os cultos naquela igreja, saiu do meio daquela gente toda uma mulher, lembro de seus óculos grandes, que abriu minha bolsa a tiracolo de couro feita em Caruaru, colocou alguma coisa dentro dela e me sussurrou no ouvido: "Vá lá que ainda dá tempo". Ora, corri para o banheiro para abrir a bolsa e ver o que era aquilo, que, para minha surpresa, era um formulário de inscrição do Seminário Teológico Batista do Norte do Brasil. Quem era aquela mulher? Como ela pôde fazer aquilo e me deixar ainda mais confuso e vivendo uma crise por negar a possibilidade de me tornar um pastor? Eu seria um engenheiro, e isso estava bem definido na minha mente, mas meu coração já percebia uma direção de Deus para o pastorado. Minha mente negava aquilo e agora passara a me sabotar, tentando me convencer de que não fazia sentido. Deus mostrava algo, e minha mente racionalizava.

Já mencionei anteriormente que o pastor de minha igreja na época, rev. Paulo Garcia, iria passar um tempo fora, em um período sabático, e assim ele me chamou para pregar no culto de despedida. Fiquei muito nervoso e inseguro, pois nunca havia feito aquilo. No dia do culto, o pastor ainda ligou para saber como eu estava, e cheguei a dizer que eu não estava nada bem, confuso, ao que ele respondeu: "Fique tranquilo, tudo vai dar certo". Voltei em uma crise desesperadora para o meu quarto, pensando que tudo seria um fiasco e que eu passaria vergonha. Entrei em uma "briga pessoal" com Deus e disse exatamente estas palavras a Ele: "Deus, percebes que não tenho capacidade de ser um pastor?" Assim que termino de dizer essa frase, um vento sopra em meu quarto, as páginas de minha Bíblia se movem e, quando o vento cessa, meus olhos são direcionados à página que fica aberta, 2Coríntios 3.4-6, que diz:

> E é por Cristo que temos tal confiança em Deus; não que sejamos capazes, por nós, de pensar alguma coisa, como de nós mesmos; mas a nossa capacidade vem de Deus, o qual nos fez também capazes de ser ministros de um novo testamento, não da letra, mas do espírito; porque a letra mata e o espírito vivifica.

A partir desse momento, eu me rendi e apenas pedi a Deus que me desse ânimo e vontade de ser um pastor, o que naquele momento ainda era algo ausente em meu coração. Poucos dias depois, eu estava visitando as instalações do seminário teológico onde concluí o curso de teologia e onde tenho um mestrado incompleto, sem a defesa da tese. Passei muito tempo achando que aquela senhora que colocou o formulário da instituição teológica em minha bolsa era um anjo de Deus, que veio e depois sumiu para sempre. Mas alguns anos depois, a reencontrei na mesma igreja e naquela altura eu já estava me graduando. Continuo crendo que ela foi uma mensageira, o que é de fato o ministério dos anjos.

Como você pode ver, a descoberta de minha vocação e chamado se deu em um processo, dramático é bem verdade, mas numa mistura de racionalidade e experiências com Deus, o que de fato respaldou para mim a sua originalidade e veracidade. Uma pergunta pode ser levantada e com propriedade: como identificar a minha vocação e chamado e me manter fiel, sem me trair?

O que é um chamado?

Quando tratamos de identificar o nosso chamado, é importante que se tenha em mente, reforçando o que comentamos há pouco, que todos, sem exceção, têm um chamado para realizar alguma coisa, em alguma área, dentro do propósito de Deus. Não acredito que haja uma pessoa sequer sem um chamado de Deus. Se cresse assim, estaria homologando o pensamento de que Deus criou pessoas apenas por criá-las, para elas existirem apenas, sem um propósito definido.

As Escrituras Sagradas não nos conduzem a essa linha de pensamento. O profeta Jeremias disse que Deus já o conhecia desde o ventre de sua mãe e que tinha planos superiores para a sua vida. Ser profeta nos tempos de Jeremias era uma atividade muito nobre. Ora, se Deus tinha planos era porque tinha um chamado específico para a vida de Jeremias; ele seria profeta para as nações. Jeremias provavelmente não soube disso por muito tempo, até que Deus o chamou de uma maneira especial para revelar os Seus planos. Veja como isso é narrado no texto bíblico: *Antes de formá-lo no ventre, eu o escolhi; antes de você nascer, eu o separei e o designei profeta às nações* (Jr 1.5).

Se foi antes de formá-lo, significa que Deus formou Jeremias com esse propósito. Partindo desse pressuposto, entendo que para todos Deus tem um propósito e, mais uma vez, entendo que Ele não criou ninguém sem um propósito. Isso diz respeito a Deus. E quanto a nós? Logo veremos mais sobre esse assunto, mas a nós cabe ouvir a voz de Deus, compreender e identificar esse chamado e responder a ele. Creio também que a maioria das pessoas não identificou o seu chamado, por isso existe tanta falta de propósito na vida das pessoas. Tenho dito várias vezes que toda crise de identidade do ser humano se encerra quando ele identifica o propósito de Deus (chamado) para a sua vida. O sentido da vida pode se resumir em uma frase: Entendo o propósito de minha vida quando descubro o propósito de Deus para ela.

O pr. Rick Warren escreveu um livro que se tornou um dos maiores *best-sellers* de todos os tempos, intitulado *Uma vida com propósitos*.[11] Esse livro, lido por cristãos e não cristãos em todo o globo, disseminou uma boa notícia: existe sentido para a vida, e esse sentido se encontra no Criador. Tem tudo a ver com Ele, diz a canção contemporânea, e foi o que, segundo testemunho do próprio pr. Rick, Deus disse a ele quando estava escrevendo esse livro. Gente de todo tipo lê e divulga esse livro porque ele trata de trazer sentido à existência, mas o que me chama a atenção é que esse sentido está em descobrir o propósito dela, que na realidade é o chamado de Deus para a vida de todos os seres humanos. Quando falamos de *propósito*, estamos praticamente usando essa palavra como sinônimo de *chamado*. Ou seja, Deus tem um chamado para cada ser humano, e este é seu maior propósito: cumprir esse chamado e realizar Sua missão neste mundo.

Dentro da perspectiva bíblica, outro caso pode ser considerado. O profeta Isaías teve a mesma experiência de ser chamado ou ter seu propósito de vida definido por Deus, de ser alguém criado com um propósito. Veja o texto bíblico onde ele mesmo trata desse assunto:

> *Escutem-me, vocês, ilhas; ouçam, vocês, nações distantes: Antes de eu nascer o Senhor me chamou; desde o meu nascimento ele fez menção de meu nome. Ele fez de minha boca uma espada afiada, na sombra de sua mão ele me escondeu; ele me tornou uma flecha polida e escondeu-me na sua aljava. Ele me disse: "Você é meu servo, Israel, em quem mostrarei o meu esplendor". Mas eu disse: "Tenho*

---

[1]WARREN, Rick. *Uma vida com propósitos: para que estou na terra?* Edição expandida. São Paulo: Editora Vida, 2013.

me afadigado sem qualquer propósito; tenho gasto minha força em vão e para nada. Contudo, o que me é devido está na mão do SENHOR, e a minha recompensa está com o meu Deus". E agora o SENHOR diz, aquele que me formou no ventre para ser o seu servo para trazer de volta Jacó e reunir Israel a ele mesmo, pois sou honrado aos olhos do SENHOR, e o meu Deus tem sido a minha força; ele diz: "É coisa pequena demais para você ser meu servo para restaurar as tribos de Jacó e trazer de volta aqueles de Israel que eu guardei. Também farei de você uma luz para os gentios, para que você leve a minha salvação até aos confins da terra" (Is 49.1-6).

Perceba que Isaías deixa claro que Deus o criou para uma missão. Os planos dEle já estavam definidos, e, assim como eu e você fomos criados para um propósito, Ele trouxe Isaías para ser a Sua voz diante de gentios e judeus. E atente para um detalhe muito especial: Deus deu a Isaías todas as ferramentas e o treinou para tal missão, equipando-o com uma "boca semelhante a uma espada afiada", bem como protegendo-o e guardando-o, *escondendo-o na sua aljava.*

Talvez você possa estar com uma dúvida e eu possa ajudar. Sua pergunta pode ser algo do tipo: "Por que tantos não desenvolvem ou não ouvem o seu chamado?" Não quero levantar aqui uma questão doutrinária. Sei que um calvinista convicto talvez responda como sendo essa uma pessoa que não foi predestinada. Como eu tenho um conceito de predestinação bem definido e entendo, como muitos, que os textos que falam disso se referem à humanidade, e não a uma pessoa em particular, posso responder que, diante de todas as propostas e propósitos de Deus para o ser humano, caberá a este sempre uma opção, um livre arbítrio. Deus me criou com um propósito de eu ser um pastor e ter uma missão, lapidou esse chamado e me convenceu de Seu plano, mas sempre tive diante de mim a opção de seguir por outro caminho diferente desse.

A Bíblia nos apresenta situações nas quais pessoas escolhidas e chamadas por Deus e até mesmo por Jesus, que estavam dentro do Seu plano, disseram sim em um momento, atendendo ao chamado, mas que em outro, durante a sua caminhada de vida, se embaraçaram e se perderam por terem feito escolhas erradas e caído em tentações humanas, que nesses casos tinham a ver com poder e dinheiro.

Saul foi escolhido por Deus para reinar. O profeta Samuel ouviu claramente de Deus a indicação de quem seria o ungido. Mas uma leitura no livro de 1Samuel mostra que, mesmo tendo sido escolhido e ungido rei pela direção do Senhor, Saul se deixou levar pelo espírito de independência, desprezou o profeta, assumiu certa ocasião as prerrogativas deste e, por fim, caiu em desgraça, e foi destronado pelo próprio Deus. Deus errou? Não, claro que não, mas Saul fez a escolha errada de seguir seus próprios impulsos. Perdeu-se, perdeu o trono e perdeu a vida. Mas ele tinha um chamado, e Deus tinha um propósito para a sua vida, no entanto a escolha de Saul foi outra.

Judas foi escolhido, à semelhança dos demais, como discípulo para compor aquele primeiro colégio apostólico. Os três evangelhos, com exceção de João, narram o chamado de Jesus aos apóstolos, e todos envolvem Judas, apenas fazendo a observação de que ele seria "aquele que o trairia". Mesmo tendo sido escolhido a dedo por Jesus, Judas em algum momento fez sua escolha pelo dinheiro, era conhecido como envolvido com os zelotes, que lutavam por uma libertação política de Israel do domínio romano, um tipo de guerrilheiros e rebeldes da atualidade. Judas optou por trair a confiança de Jesus. Isso não significava que o propósito de Deus para ele era que ele fosse um traidor. Pensar assim é ser levado a uma linha de pensamento de que Deus também tem planos maus para as pessoas e que, por exemplo, as escolhe para serem reis ruins e traidores. Olhando nessa direção, eu visitaria um presídio e diria que Deus chamou aquelas pessoas para serem criminosos? Não. Ele as chamou para um propósito, mas elas se desviaram desse propósito ao fazer escolhas erradas. Mas, no momento em que refizerem suas escolhas, arrependendo-se, Deus as reconduzirá ao propósito inicial.

Identificando minha vocação

Em seu livro *Ouça o Espírito, ouça o mundo*,[22] John Stott usa todo um capítulo para falar sobre o que ele chama de *direção, vocação* e *ministério*. *Direção* porque Deus quer nos dirigir, *vocação* porque Deus nos chama e *ministério* porque Ele quer que coloquemos nossa vida a Seu serviço. Quando fala de vocação, Stott busca usar a palavra de acordo com o contexto bíblico, que tem a ver com chamado, vocação, o que é legítimo. Isso difere do que tenho apresentado aqui, pois tenho usado o termo de acordo com o uso popular, mais relacionado com as habilidades, com o que alguém sabe fazer, no que é treinado, o que me parece apropriado, uma vez que temos feito ponderações quanto a ter um chamado, diferenciado de ter uma vocação. Mas quer no uso popular quer no uso bíblico, ambos acabam implicando que, para ser vocacionado para Deus, faz-se necessário sempre ser chamado por esse mesmo Deus. Seja um chamado específico, seja um chamado geral e amplo, para todo chamado, deverá existir uma vocação.

Cresci como criança e como adolescente até o início de minha juventude sem saber exatamente qual era a minha vocação de vida, para onde eu iria e qual a área de atuação ou profissão que eu escolheria. Não me lembro de ter sido criança e haver sonhado com uma profissão ou área onde eu poderia atuar quando adulto. Existem histórias de pessoas que são médicos hoje e que brincavam de ser médico na infância. Já conheci pastores que, quando crianças, "pregavam" para as galinhas ou arrumavam a casa em formato de templo, colocando os pais para serem a audiência. Isso acontece, mas nem de perto pode ser considerado uma regra. Não há regras quando se deseja identificar um chamado, mas existe, sim, uma direção.

Inicialmente, permita-me dizer por que mudei de chamado para vocação nesta parte do capítulo. Quando tratamos de identificação, é crucial a identificação da vocação, pois a partir daí se tratará de

---

[2]STOTT, John. *Ouça o Espírito, ouça o mundo*. São Paulo: ABU Editora, 1992, p. 143.

ouvir o chamado específico onde fazer uso da vocação, que será um novo, importante e definitivo passo na nossa caminhada de vida. Como já tratamos aqui, a vocação tem a ver com a história de vida de cada pessoa. A formação de cada um de nós tem uma imensa influência naquilo que iremos fazer para o resto da vida. Sim, é verdade que com a maioria das pessoas acontece dessa forma, mas, como dissemos antes, não há uma regra, e exatamente por isso existe um risco de que não haja uma sincronia entre a vocação e o atender ao chamado, o que pode colocar toda uma existência em risco quando nos equivocamos em entender a nossa vocação e atender ao chamado. Quando isso acontece, pode gerar muita frustração ao atuarmos em uma área que não se alinha com nossa vocação, ou em outros possíveis cenários quando atendemos ao chamado com uma vocação que na realidade não é a nossa, ou quando, mesmo tendo a vocação, não ouvimos o chamado e seguimos na vida em uma direção diferente daquilo que seria nosso chamado e vocação.

Mencionei anteriormente aquele acróstico que o ministério Igrejas com Propósitos produziu e utiliza em suas classes ministeriais e que reproduzo aqui para ilustrar melhor o que queremos dizer:

F Formação espiritual
O Opções do coração
R Recursos pessoais
M Modo de ser
A Áreas de experiência

Vejo nesse acróstico uma maneira lúdica de ajudar na identificação de uma vocação genuína. Em minha experiência de lidar com tanta gente que passa por esses processos de chamado e vocação, tenho visto muitos darem passos equivocados, sem levar em conta a sua formação. Lançaram-se em um suposto chamado de Deus, para depois experimentar frustrações e desilusões.

Qualquer chamado genuíno deve olhar primeiro para o fato de haver realmente uma vocação genuína. Mais uma vez, é importante dizer que Deus chama vocacionados. Isso não significa alguém que já está capacitado. Sabemos que Deus olha muito mais para a disponibilidade do que para a capacidade naquele momento. Esta se adquire por treinamentos, mas, quanto à disponibilidade, ou eu a trago comigo ou dificilmente ela virá. Vamos considerar um pouco mais esse acróstico e detalhá-lo um pouco mais. Coloco inicialmente a definição de Rick Warren e em seguida teço comentários em cada letra do acróstico.

F–Formação espiritual

Conjunto de habilidades especiais concedidas por Deus para que você compartilhe Seu amor e sirva às pessoas.

É a maneira com que me desenvolvi e cheguei ao ponto em que me encontro em minha espiritualidade. A minha formação espiritual é a maneira pela qual me envolvi com a ação de Deus no mundo e em minha vida em particular. Se tenho a convicção e creio que Ele capacita e usa pessoas, isso me levará a crer que Ele poderá me usar também, com as habilidades que me concedeu. A incredulidade nesse ponto lançará toda a vocação por terra. Se não crermos que Deus usa as pessoas e as capacita, como daremos qualquer passo em direção a ouvir um chamado, se pela incredulidade já bloqueamos essa possibilidade?

O–Opções do coração

Paixões especiais que Deus lhe deu para que você possa glorificá-Lo no mundo.

Aqui vai se formando a vocação. Às vezes, desde cedo a desenvolvemos. Por esses dias, eu estava instalando uma bomba d'água em minha casa e conversava com o eletricista que trabalhava ali. Perguntei-lhe sobre sua vida, e ele me respondeu que desde cedo sempre se metia com isso. Aos 6 anos de idade, já levava choque consertando os equipamentos em sua casa. Claro que isso não pode ser considerado determinante em nossa vida, mas é fato que aquilo que o nosso coração gosta de fazer nos ajudará na escolha do que faremos pelo resto de nossa vida. Ele era um homem simples, que em seu tempo não teve oportunidades, mas provavelmente, se as tivesse, poderia ter sido um excelente engenheiro elétrico.

Uma vocação normalmente nasce cedo. Pessoas mostram suas tendências ainda em idade tenra. Pessoas que gostam de lidar com crianças se tornam bons professores, gente que gosta de montar e desmontar equipamentos pode seguir a carreira de engenheiro, gente que logo cedo gosta de ler tem uma tendência a atuar na área de ciências humanas. Lembre-se de que estamos falando de vocação, e, pelo que temos visto aqui, o chamado de Deus poderá usar essas habilidades inatas e despertar essas pessoas para servirem com ânimo e dedicação na área onde seu coração bate mais forte. A isso damos o nome de paixão. Qualquer coisa que é realizada com paixão, desenvolve-se melhor. As opções do coração são os elementos que darão paixão à sua vocação, especialmente quando Deus o chamar para o Seu serviço.

R–Recursos pessoais

Conjunto de talentos que Deus lhe deu ao nascer e que Ele quer que você use para causar impacto em nome dEle.

Os nossos recursos pessoais estão muito intimamente ligados aos nossos dons, aquilo que recebemos de Deus e que nos ajuda a realizar a Sua obra neste mundo. O texto de Paulo em sua carta aos Romanos, na versão da *Bíblia Viva*, diz algo nessa direção: *Deus deu a cada um de nós a habilidade de fazer bem determinadas coisas* [...] (12.6). Um bom exercício para saber quais são seus recursos pessoais, aqueles que você tem e que talvez não os considere, é listá-los e depois analisar essa lista, procurando enxergar onde Deus os poderia usar. Talvez você diga que não pode listá-los porque não os considera especiais e assim não conseguirá identificá-los. Portanto, liste aquilo que você gosta de fazer. Faça isso agora, preenchendo as linhas abaixo:

a. _____

b. _____

c. _____

d. _____

e. _____

f. _____

g. _____

h. _____

Agora observe com cuidado cada uma das coisas que você gosta de fazer e tente enxergar como Deus poderia usá-las. Por exemplo, alguém que gosta de dar conselhos pode ser usado por Deus em sessões de aconselhamento na igreja. Essa pode ser uma das marcas de um bom pastor na igreja local. Você percebe que dentro desses recursos pessoais que você tem existem muitos, ou alguns, que podem ser usados por Deus dentro de sua vocação e que você pode receber um chamado de Deus para pô-los a serviço do reino?

M–Modo de ser

A maneira especial pela qual Deus o equipou para conduzir a vida e cumprir o seu exclusivo propósito no reino.

Quando falamos de uma *maneira especial*, é para destacar que isso é algo peculiar – seu jeito, seu estilo, sua maneira de ver a vida e se envolver com ela. Existem pessoas extrovertidas, como também aquelas introvertidas; existem os analíticos, da mesma forma que os movidos por tarefas. Essas peculiaridades de cada pessoa permitem que se formem excelentes equipes quando seus componentes têm um "modo de ser" e atuam dentro de suas habilidades, seguindo suas vocações e ouvindo o chamado de Deus. Isso se chama personalidade. Tive e tenho em minha equipe pastoral líderes com diferentes maneiras de ser. Um de meus pastores tem uma personalidade bem analítica, o que eu não possuo. Isso sempre ajuda a nossa equipe a enxergar os fatos por diferentes ângulos e realmente seguir na direção de atitudes mais acuradas. Pode haver muitas faces de personalidade, mas algo é certo: Deus nos fez com personalidades muito particulares. Sou grato a Ele por isso.

A–Áreas de experiência

Áreas de seu passado, tanto alegres como dolorosas, que Deus pretende usar de forma extraordinária.

Há uma frase atribuída a Sören Kierkegaard que pode ajudar a compreendermos esse conceito de áreas de experiência: "A vida só pode ser compreendida olhando-se para trás, mas deve ser vivida olhando-se para a frente". Se cremos que há um propósito em tudo que nos acontece, há um propósito no nosso passado. Claro que a nossa natureza humana e limitada nem sempre consegue alcançar a razão dos fatos que não nos são agradáveis. Mas não podemos negar que elas serão, de alguma forma, usadas por Deus para Seu eterno propósito. Paulo escreve aos coríntios sobre tribulações, por exemplo, e diz mais ou menos isso.

> Bendito seja o Deus e Pai de nosso Senhor Jesus Cristo, Pai das misericórdias e Deus de toda consolação, que nos consola em todas as nossas tribulações, para que, com a consolação que recebemos de Deus, possamos consolar os que estão passando por tribulações.
>
> (2Co 1.3,4)

Tenho vivido momentos difíceis em minha caminhada de vida. Perdas significativas e lutas que em algum momento cheguei a não compreender. Confesso que para algumas delas ainda busco um melhor entendimento. Mas, de alguma forma, consigo enxergar Deus me usando exatamente em minhas áreas de tribulação.

Posso dizer sem medo de errar que suas tribulações podem apontar para uma área de sua atuação e ministério.

Contudo, não apenas as nossas experiências negativas podem ser um instrumento de Deus; também nossos sucessos podem ser usados por Deus para abençoar alguém. Mesmo sendo o sucesso algo bem relativo, podemos olhar para as áreas de sucesso em nossa vida e enxergar nelas uma motivação para outras pessoas, podendo ser usadas por nós para abençoar vidas. Viver com excelência, ser um bom profissional, um líder exemplar, saber levar pessoas a Cristo — tudo isso pode ser usado para o bem do reino de Deus. Faz parte de nossa vocação e pode ser envolvido por um chamado de Deus. Após avaliar cada uma dessas áreas de nossa vida, poderemos descobrir com muito mais facilidade a nossa vocação e chamado.

Minha experiência com Deus, quando ouvi Seu chamado, compreendendo minha vocação e entendendo meu ministério, se deu em um processo dramático no que diz respeito à aceitação. Eu não queria ser um pastor de igreja, tinha meus próprios planos. Identificar meu chamado envolveu sentimentos, revelações de terceiros, passagens bíblicas que vinham como mensagem direta ao meu coração etc. Mas, a certa altura, veio a convicção de que ali havia alguém me chamando para usar minha FORMA, que delineara minha vocação e que me fazia atender ao chamado. Identifiquei meu chamado e vocação crendo em cada experiência, confiando em cada palavra, seguindo cada conselho de meus líderes e observando como eles viviam para poder segui-los. Mas algo foi fundamental: a observação dessa FORMA e, colocando bem racionalmente, também cada uma dessas minhas "qualidades" disponíveis para Deus, enxergando nelas um potencial em Suas mãos. Procure fazer o mesmo. Não espere um anjo aparecer, uma nuvem descer do céu, uma revelação acontecer, uma profecia ser liberada... Ao contrário, saia na frente e se coloque disponível. Deus em sua imensa sabedoria o guiará a pastos mais verdejantes.

Sabotando sua vocação e chamado

Pode parecer algo muito estranho e difícil de entender, mas em muitos casos existem pessoas com vocação e chamado bem delineados, perceptíveis a todos, mas que em algum momento traem a si mesmas e montam armadilhas para sabotar aquilo que claramente seria sua vocação e chamado. E por que se faz isso? Ora, existem muitas razões, e algumas delas já vimos neste livro. Em um bom número de casos, a sabotagem de seu próprio chamado e vocação tem a ver com o medo da responsabilidade a ser assumida ou também se dá pela baixa autoestima, que leva pessoas a se sentirem incapazes. Então, mais uma vez o ciclo do medo entra em cena, e o receio de decepcionar pessoas e não dar conta daquele "chamado" pode fazer com que muita gente venha a sabotar a sua própria vida e bloquear a possibilidade de sucesso naquilo que poderia ser feito.

Há também aqueles que se concentram em demasia em suas limitações e não se dão a oportunidade de tentar. Quando tentam, valorizam demais essas limitações, bloqueando, assim, seus planos e sabotando a sua vida. Limitações que podem influenciar de fato a nossa caminhada, negativamente falando, variam desde uma confiança excessiva ou a falta dela. Existem pessoas que somente enxergam a sua realidade, e não a realidade que as cerca. Aqui está um mal da confiança excessiva, que resulta no orgulho. Na minha visão, esse foi um dos fortes males de Saul. Trata-se de algo de fato muito perigoso. Não é difícil compreender que Saul poderia ter sido um grande rei de Israel, lembrado para sempre como o primeiro grande rei daquele povo. Mas sua autoconfiança o levou à ruína, rejeição e desprezo. Toda uma vida pode ser arruinada e sabotada por esse elemento chamado excesso de autoconfiança, que pode cegar qualquer um e ser fatal. Segundo a história, esse foi um dos males que sabotou a carreira brilhante do grande imperador Napoleão Bonaparte. Quem duvida da capacidade daquele líder? Quem põe em questão sua capacidade de ter vencido a batalha com a Rússia? Mas o ego superou a razão e, depois de ter partido com quase 500 mil homens para a Rússia, ele voltou com menos de 10 mil. Mesmo assim, ele não se rendeu aos fatos e declarou que a campanha fora um sucesso. Portanto, esta é uma das maneiras de sabotar a própria vida: não perceber a realidade e ser autoconfiante excessivamente.

Na Bíblia, vemos alguns casos de pessoas e líderes que tentaram sabotar a sua própria vida. Saul foi um dos que assim procederam, mas outros viram sua vida ser usada por Deus mesmo em meio às suas limitações e falta de autoconfiança. Talvez a resposta para esses casos seja que a confiança em Deus fez toda a diferença. Vamos ver alguns desses casos? Sugiro que você observe bem cada detalhe do que será dito e considerado e olhe também para as atitudes desses líderes.

Moisés e o revés de sua vida

A vida e o ministério de Moisés de fato é uma história "hollywoodiana". Não é à toa que as produções cinematográficas sobre a sua história sempre fizeram imenso sucesso. Mesmo as romanceadas, que não seguem com muita fidelidade as Escrituras, foram sucesso de bilheteria. A história desse grande líder tem um início dramático, fruto de perseguição do faraó. Os egípcios estavam matando todas as crianças hebreias, pois o povo estava crescendo dentro do Egito. Colocado no rio por sua irmã, depois que a família não conseguia mais escondê-lo, Moisés é achado pela filha do faraó, que o cria como seu filho dentro do palácio. Depois de crescido, Moisés fica sabendo que faz parte daquele povo escravizado e, ao tomar as dores de um hebreu maltratado por um guarda de faraó, acaba matando o homem, precisando fugir e exilar-se no deserto, onde passa a viver com sua esposa e o sogro, como pastor de ovelhas.

Moisés era capaz, bem treinado, letrado e experiente. Certo dia, Deus o chama para junto de uma sarça e se manifesta nessa sarça que arde em fogo, mas não se consome. Ali Deus diz a Moisés que vai usá-lo para libertar o povo hebreu da escravidão, e a partir desse chamado se inicia um diálogo que vai nos mostrar quanto se tenta sabotar a própria vida. A partir do capítulo 3 do livro de Gênesis, inicia-se a narrativa desse chamado de Deus para Moisés e de todas as suas tentativas de escapar e não atendê-lo. Para entender bem essa tentativa de sabotar a si mesmo, é importante a leitura para compreensão de todo o desenrolar dos acontecimentos. Talvez seja interessante você fazer uma pausa aqui e ler na Bíblia essa empolgante história. Leia a partir do capítulo 3 e vá até a passagem pelo mar Vermelho. Isso lhe dará uma boa ideia de todo o contexto. Depois, quando voltar à leitura deste livro, compreenderá melhor o que vamos tratar aqui.

Agora que você está de volta e conhece bem a história e o contexto, vamos observar o comportamento de Moisés diante do chamado de Deus. Estou considerando que Moisés tem grande vocação para ser um bom líder. Ele foi treinado na casa do faraó, entendia das armas e estratégias de luta. Moisés não era, nem de perto, um maltrapilho qualquer; era um verdadeiro e capacitado líder. O chamado a Moisés se inicia no capítulo 3 do livro de Êxodo, mas, naquilo que considerei antes, sua vocação estava bem clara; ele foi treinado para ser um líder. Então, nesse ponto nós estamos prestes a ver um ministério acontecer. Parece fácil. Existe uma vocação, um chamado, como você vai perceber, e isso aponta para um ministério, não é verdade? Pois bem, mas aí é que surge a possibilidade de entrar em cena a autossabotagem. Vamos observar um pouco as Escrituras e constatar isso na prática.

Vamos nos concentrar no diálogo entre Deus e Moisés registrado nos capítulos 3 e 4 do livro de Êxodo. Para uma compreensão mais clara, sugiro que faça uma pausa aqui e leia com atenção na sua Bíblia esses capítulos. Procure perceber os detalhes desse diálogo e o que ele revela. Marque com um lápis de cor o que chama sua atenção em relação ao chamado de Deus. Lembre-se que esse é o momento do chamado de Moisés por Deus para libertar Israel da escravidão do Egito.

Espero que você tenha feito essa leitura. Ela vai ajudar muito na compreensão de vocação, chamado e de como podemos sabotar o nosso chamado. Agora vamos conversar sobre essa história.

Vou colocar aqui o trecho do diálogo no qual acontece o chamado de Deus a Moisés:

> [...] *Então Moisés cobriu o rosto, pois teve medo de olhar para Deus. Disse o* SENHOR*: "De fato tenho visto a opressão sobre o meu povo no Egito, e também tenho escutado o seu clamor, por causa dos seus feitores, e sei quanto eles estão sofrendo. Por isso desci para livrá-los das mãos dos egípcios e tirá-los daqui para uma terra boa e vasta, onde manam leite e mel: a terra dos cananeus, dos hititas, dos amorreus, dos ferezeus, dos heveus e dos jebuseus. Pois agora o clamor dos israelitas chegou a mim, e tenho visto como os egípcios os oprimem.* VÁ, POIS, AGORA; EU O ENVIO AO FARAÓ PARA TIRAR DO EGITO O MEU POVO, OS ISRAELITAS*"* (Êx 3.6-10 – grifos do autor).

O texto em destaque se trata da palavra de chamado; antes disso, vem a argumentação de Deus, procurando dizer a Moisés o que estava acontecendo no Egito, já que Moisés estava no deserto fazia muito tempo. Está claro que há um chamado, correto? Identificado o chamado, passemos, então, a observar a reação de Moisés, que é nosso foco neste capítulo. Preste atenção agora na sequência de respostas que Moisés dá a Deus:

> *Moisés, porém, respondeu a Deus: "Quem sou eu para apresentar-me ao faraó e tirar os israelitas do Egito?"* (Êx 3.11).

> *Moisés perguntou: "Quando eu chegar diante dos israelitas e lhes disser: O Deus dos seus antepassados me enviou a vocês, e eles me perguntarem: 'Qual é o nome dele?' Que lhes direi?"* (Êx 3.13).

> *Moisés respondeu: "E se eles não acreditarem em mim nem quiserem me ouvir e disserem: 'O* SENHOR *não lhe apareceu'?"* (Êx 4.1).

> *Disse, porém, Moisés ao* SENHOR*: "Ó Senhor! Nunca tive facilidade para falar, nem no passado nem agora que falaste a teu servo. Não consigo falar bem!"* (Êx 4.10).

Respondeu-lhe, porém, Moisés: "Ah, Senhor! Peço-te que envies outra pessoa" (Êx 4.13).

Essa história é muito interessante e nos mostra como de alguma forma tentamos sabotar o chamado de Deus para nossa vida. E como fazemos isso? Bom, inicialmente construímos algumas desculpas que possam nos livrar da tarefa para a qual estamos sendo chamados. Preste atenção no diálogo entre Deus e Moisés e veja como, em cada chamada de Deus, Moisés coloca uma dificuldade. Perceba também que Deus vai argumentando com ele durante toda a conversa. Ele tenta mostrar a Moisés seu apoio e deixa claro que, assim como Ele foi no passado, será agora etc. Mas para cada palavra que Deus usa em seu argumento, Moisés consegue colocar uma dificuldade, até chegar ao ponto em que ele é bem claro e pede a Deus para enviar outra pessoa em seu lugar. Se você continuar lendo, verá que a Bíblia diz que Deus ficou irado com Moisés! Vejo nisso pelo menos um fato: a insistência de Deus em Moisés era porque Ele sabia que Moisés tinha a capacidade para fazer aquela obra. Ele conhecia Moisés e havia permitido que este fosse treinado para esse momento. Mas nem mesmo isso convenceu Moisés naquele momento. E por que ele faz isso, ou melhor, por que nós fazemos isso? Algumas possibilidades são estas aqui:

Acomodação

Não são poucas as vezes em que a tentação de permanecer na zona de conforto impede-nos de fazermos jus ao chamado que temos para realizar uma tarefa. Pode ser um chamado missionário, pastoral, mas também um chamado para qualquer tarefa que seja relevante e que poderá causar impacto no ambiente onde se desenvolverá. A zona de conforto é o ninho do acomodado, e a águia que empurra seu filhote para fora do ninho é a visão empreendedora de Deus, se você quiser olhar por esse lado. A mãe águia, assim como Deus, sabe que você foi criado para um propósito maior, e, se você tem algo a dar a este mundo, terá que sair dessa zona e entrar em alguma área de risco. Na zona da acomodação, não há riscos, a rotina acontece e o retorno, mesmo que limitado, aquieta o espírito de quem ali se coloca. Você, assim como eu, já deve ter escutado a frase "Vou continuar fazendo meu feijão com arroz", numa alusão a permanecer fazendo a mesma coisa todo dia e recebendo o mesmo ganho por aquilo.

Pessoas que procedem assim não enxergam que podem fazer um banquete, podem ser *chefs* especializados, inovadores, promotores de boas novas que mudem situações e impactem vidas. A acomodação tem em suas raízes o medo e a insegurança. Falaremos disso mais tarde. Por ora, entenda que a zona de conforto só tem a aparência de segurança. A rotina e a promoção de coisas repetidas logo levarão à estagnação, que por sua vez terá a insatisfação das pessoas ou clientes, e seu projeto, seja ele qual for, estará ameaçado de qualquer forma. É uma ilusão achar que a zona de conforto é segura. Acredite, ela não é!

Sou um bispo da igreja, pastor de uma igreja local, lido com igreja 24 horas por dia, nos sete dias da semana. Acompanho o movimento da igreja em todo o mundo, leio sobre isso, assisto a *podcasts*, vídeos, visito lugares em diferentes continentes e entendo o movimento da igreja, percebendo sua tendência. Mas sou parte de uma igreja histórica onde algumas pessoas se orgulham, como diz o poeta: "vaidade *de ser a igreja da história*".[33] Sempre me senti muito bem em ter raízes históricas na minha fé, mas isso nunca me levou a valorizar mais a história do que a missão da igreja. Por entender que a igreja precisaria comunicar a cada geração da maneira que essa geração entendesse, decidi fazer mudanças estratégicas para que a nossa igreja pudesse ser mais efetiva nessa comunicação. Hoje vemos o fruto dessas mudanças e o alcance e valor delas. Criamos um mote em nossa igreja que diz: "Um novo tempo, o evangelho de sempre", e isso comunicou que estávamos fazendo mudanças na forma, mas não tocaríamos na mensagem, que entendemos ser a

[3]ALEXANDRE, João. CD *Voz, violão e algo mais*, "Tudo é vaidade". São Paulo: VPC Produções, 2010.

nossa maior herança, fundamento colocado pelos apóstolos e profetas, segundo Paulo declara em sua carta aos Efésios, no capítulo 2, versículos 19-22.

Qualquer um que desejar sair da sua zona de conforto e comodidade sofrerá algum tipo de oposição. Existem muitas pessoas que se satisfazem com a caixa onde se encontram e que, mesmo nunca atingindo seu potencial máximo, se sentem bem. Eu já era um pastor que, pela média das igrejas no Brasil, estava cumprindo até bem meu ministério, mas a zona de conforto nunca foi o meu lugar. Decidi por mudanças, ao ler o tempo em que vivo, mesmo sabendo das possíveis oposições de uma igreja tradicional e histórica como a que eu pertenço.

Conheço a história de uma de nossas igrejas em um outro país que pode ilustrar a ideia que desejo passar aqui. Existe uma tradição na Igreja Anglicana em que a leitura bíblica do evangelho normalmente é feita na parte central da nave do templo. Essa tradição tem uma base teológica, que é o entendimento de que o evangelho é o centro da mensagem da igreja, mas também se refere ao tempo das catedrais e grandes templos góticos, onde o local central delas dava a chance de todos escutarem a leitura. Nessa dita igreja, somente havia um microfone, e o fio dele não alcançava a parte central da nave do templo. O diácono perguntou ao pastor onde deveria ler o evangelho, já que o microfone não chegaria até o centro e as pessoas não poderiam escutar a leitura e ser edificadas com o evangelho. O pastor não cedeu e levou a leitura para o centro, em detrimento do fato de que a leitura precisava ser ouvida melhor por todos, mas ela não foi. Algo muito simples, mas que mostra que uma simples mudança poderia levar mais pessoas a ouvir o evangelho.

Moisés estava na sua zona de conforto. Observe no texto bíblico que, depois de ter fugido do Egito, refugiou-se no deserto e ficou ao sabor da sorte. O deserto é um lugar cruel que não perdoa; antes, mata de sede, fome, e tanto de insolação como de frio. Moisés foi poupado da morte, pois o castigo para quem matasse um egípcio era a morte, e esse foi seu "delito" ao defender um escravo hebreu.

De alguma forma que a Bíblia não relata, Moisés foi salvo do deserto e agora vive em uma zona de conforto. Ele tem esposa, filhos e vive tomando conta dos rebanhos de seu sogro. Hoje seria um funcionário ou associado de uma empresa familiar? Não sei; o que sei é que essa era uma zona privilegiada para alguém desterrado e ameaçado pelo faraó. Tente se colocar na situação de Moisés, e você vai entender melhor que não se trata de um medo qualquer. Ele tinha, sim, razões para ter medo e não desejar sair daquela zona muito confortável.

No entanto, Moisés teve algo que poucos tiveram em sua época e, a exemplo de Abraão, Isaque, Noé e alguns outros poucos, teve um encontro muito pessoal com Deus. E é isso que deveria fazer diferença em sua vida a partir de agora, mas esse começo não foi fácil, assim como sabemos não ser fácil para ninguém que se sinta impelido a sair da zona de conforto tomar tal decisão. A nossa tendência é resistir, e nessa resistência começamos o processo de autossabotagem, no qual, em muitos casos, não havendo muita determinação e ajuda, sabotamos nossa vida, nosso chamado e nosso futuro. Não fora o encontro de Moisés com Deus em uma experiência sobrenatural, nunca teríamos ouvido sobre ele nas Escrituras, porque ele não teria ido e Deus de fato teria enviado outro libertador.

Talvez agora caiba uma reflexão pessoal. Pode ser que este seja o momento de identificarmos se estamos presos a uma zona de conforto que nos impede de seguir e atender ao nosso chamado. Aqui dei um testemunho pessoal e poderia dar outros, mas peço que faça você mesmo e pessoalmente essa análise. Comece pensando se já sentiu o desejo ou a aspiração. Talvez você tenha considerado esse um momento de realizar algo em sua vida. Pode ser na área profissional, ministerial, familiar. Mas sempre vem uma sensação de temor em arriscar. Algo como: "As coisas estão bem assim. Para que mexer nisso agora?", ou: "Você já alcançou esse lugar. Para que ir mais longe e arriscar perder o que já conquistou?" Essa é aquela voz de que tratamos no início deste livro, a voz que pode ser a causa de você não se mexer. Essa é a voz da zona de conforto. Ela vai sempre lhe dizer para não dar mais passos, pois você já o fez vezes sem conta.

O diferencial nessa difícil situação em que Moisés se encontrava, e que muitas vezes nós nos encontramos, será sempre uma relação com Deus que pode dizer quem nós somos e para o que Ele nos criou. Todos nós fomos criados para um propósito, já consideramos isso aqui. Perceba nessa edificante história que Moisés joga a toalha, desiste e se entrega. Muitas vezes, isso também acontece conosco, pois não encontramos mais forças. Mas o sobrenatural, o Deus que nos criou, entra em cena e não desiste de nós. Se estamos dentro de Sua vontade, Ele insistirá até nos convencer para sairmos e executar aquilo que Ele projetou para nós. Essa história mostra também que este é o fator fundamental para deixarmos a zona de conforto: ouvir a Deus, identificar a Sua voz em meio a tantas que temos escutado nos dias de hoje. Particularmente, a situação foi resolvida quando Deus conseguiu fazer Moisés enxergar que Ele o havia preparado fazia tempo para esse momento, a ponto de o diálogo de Deus com ele ser quase aquilo que chamamos popularmente de "bate-boca", e a rendição veio pela força do convencimento de Deus. Perceba isso neste trecho:

> Disse, porém, Moisés ao SENHOR: "Ó Senhor! Nunca tive facilidade para falar, nem no passado nem agora que falaste a teu servo. Não consigo falar bem!" Disse-lhe o SENHOR: "Quem deu boca ao homem? Quem o fez surdo ou mudo? Quem lhe concede vista ou o torna cego? Não sou eu, o SENHOR? Agora, pois, vá; eu estarei com você, ensinando-lhe o que dizer". Respondeu-lhe, porém, Moisés: "Ah, SENHOR! Peço-te que envies outra pessoa". Então o SENHOR se irou com Moisés e lhe disse: "Você não tem o seu irmão Arão, o levita? Eu sei que ele fala bem. Ele já está vindo ao seu encontro e se alegrará ao vê-lo. Você falará com ele e lhe dirá o que ele deve dizer; eu estarei com vocês quando falarem, e lhes direi o que fazer. Assim como Deus fala ao profeta, você falará a seu irmão, e ele será o seu porta-voz diante do povo. E leve na mão esta vara; com ela você fará os sinais miraculosos". Depois Moisés voltou a Jetro, seu sogro, e lhe disse: "Preciso voltar ao Egito para ver se meus parentes ainda vivem". Jetro lhe respondeu: "Vá em paz!" (Êx 4.10-18).

Eu e você podemos ter uma relação desse mesmo tipo hoje com Deus por meio de Jesus Cristo. E, assim, o mesmo Deus que esteve entabulando esse diálogo com Moisés pode agora mesmo iniciar uma boa conversa com você. Se você está enxergando seu sonho de longe e lhe falta algo para correr atrás dele, não dê nem um passo sequer sem antes fazer isso:

1. Tente identificar seu projeto, plano ou sonho alinhado com a vontade de Deus. Existe algo que testifique que seria propósito de Deus associar-se a você nesse projeto? Deixe-me explicar melhor. Deus não pode se associar a planos que Ele mesmo não homologa. Portanto, de antemão, se isso de alguma forma vai contra os princípios bíblicos, a Palavra de Deus, não o leve adiante. Pode ser um projeto pessoal que tem mais a ver com o seu ego do que com a glória de Deus. Isso não receberá a homologação de Deus.
2. Passando por isso, compartilhe seu projeto com uma ou mais pessoas de confiança e que estejam em uma posição de liderança igual ou superior à sua. Isso abrirá o espectro para outras mentes e colocará você numa posição de humildade que agrada a Deus. Se você é casado(a), tem família, filhos maduros ou jovens maduros que conhecem a Deus, também deve compartilhar. A Bíblia diz que na multidão de conselhos há sabedoria (Pv 11.14). Algumas das decisões mais cruciais de minha vida, antes partilhei com pessoas desse tipo e de diferentes contextos e segui os seus conselhos. Hoje posso perceber como foi algo de Deus, que me deu segurança em minha missão.

Um exemplo de equívoco: Alguém tem um desejo de plantar uma igreja. Esse facilmente é um projeto que passa pelo primeiro crivo sem quaisquer dificuldades. Os exemplos bíblicos de crescimento e expansão nos motivam a plantar mais e mais igrejas. Quem se oporia a esse plano?

Sigamos então e vamos compartilhar esse plano com um ou mais líderes que estejam sobre nós. Ao compartilhar com o pastor sênior da igreja, ele se anima e diz: "É um bom plano, precisamos plantar mais igrejas, no entanto temos visto que o local para isso, depois de orarmos e verificar geograficamente, é no bairro 'X'". Mas aquela pessoa pensava no bairro "Y". E por que pensava? Talvez porque era próximo de sua casa, ou por outra razão que não se alinhava com a visão de sua liderança. O alguém que entende a direção de Deus deveria dizer? "Ok, vamos em frente." Essa pessoa sairia de sua zona de conforto por escutar a Deus e ouvir conselhos. Caso contrário, diria: "Não; Deus me disse outra coisa!" A razão e o bom senso nos conduzem a entender que Deus fala a nós, mas usa pessoas para autenticar o que ouvimos.

Sair da zona de conforto e da comodidade requer ouvir outras vozes, especialmente a voz e a direção de Deus. Caso contrário, estaremos por nossa conta e risco. Depois de me interessar mais por esse assunto, passei a perceber mais facilmente como isso é comum acontecer na vida de tantas pessoas. Hoje identifico com certa facilidade quando vejo alguma atitude que está levando alguém a um processo de autossabotagem. A "prisão" à zona de conforto é uma das causas do desenvolvimento desse processo nas pessoas. Ouvir a Deus é crucial, e só ouve a Deus quem pode identificar a Sua voz. Isso requer mais intimidade com Ele.

Falta de autoconfiança e baixa autoestima

É possível que você, ao ler o título desta seção, faça uma ligação da ausência de confiança em si mesmo com a prisão à zona de conforto. Pode parecer semelhante, mas não é a mesma coisa. Uma pessoa pode estar presa na sua zona de conforto por não ter autoconfiança, mas isso não é uma regra. A falta de autoconfiança é uma prisão por si mesma. Claro que deve haver inúmeros motivos pelos quais alguém perde a confiança em si mesmo. Um deles por exemplo pode ser a maneira como foi criada. Pais que "educam" seus filhos superprotegendo-os, evitando assim que tenham suas próprias experiências, estão semeando a ausência de confiança neles.

Esses filhos, crianças e depois adolescentes, jovens e adultos, não experimentarão ser expostos a situações onde precisariam encontrar saídas por si mesmos. Isso mostraria a eles que existe saída, mesmo nem sempre obtendo sucesso. Alguns sucessos entram para a bagagem da memória da autodefesa. Não ocorrendo isso, as suas defesas não identificarão as ameaças, pois não saberão reconhecê-las, pois, afinal de contas, sempre que algo ocorria, os pais chegavam e resolviam a situação.

Fui criança em diferentes ambientes, desde bairros a escolas, e em todos eles havia outras crianças que sempre queriam se destacar. O que hoje se chama de *bullying*, existia, pelo menos, na minha região com o codinome de "encarnação". Soube me esquivar bem dessas pessoas, seja me afastando, seja eventualmente enfrentando-as, e, não, nunca precisei brigar na escola ou em outros lugares. Aprendi de alguma maneira a me defender. Meus pais não estavam cuidando de me colocar em uma bolha; havia outros quatro precisando dessa mesma atenção.

A autoconfiança é algo positivo quando não extrapola os limites de sua capacidade e faz a pessoa viver como alguém que é imbatível. Isso é mau e gera problemas na vida. Mas torna-se algo negativo quando existe para bloquear qualquer possibilidade de aceitar riscos, pois, afinal de contas, todos na vida, em alguma proporção, vão enfrentar situações de risco. Dando um passeio pela história, você vai perceber que a maioria das grandes conquistas aconteceu porque alguém se dispôs a correr riscos, e, para correr riscos, se faz necessário algum nível de autoconfiança.

Falta de autoconfiança pode parecer algo muito semelhante ou até igual à baixa autoestima, mas os especialistas dizem que não. É importante sabermos identificar cada um desses comportamentos, para podermos atuar contra esse mal de maneira eficaz. Segundo a Universidade RMIT, na Austrália,[4] a diferença seria:

---

[4]Disponível em: <http://autoestimaem30dias.com.br/autoestima-e-autoconfianca--qual-e-a-diferenca/>. Acesso em: 04.06.2019.

- **Autoconfiança:** A crença de que você pode alcançar sucesso e competência.

- **Autoestima:** Sua opinião a respeito de si mesmo e de seu valor.

Isso quer dizer que autoestima se refere mais ao que *achamos de nós mesmos como pessoas,* ao passo que autoconfiança se refere mais ao que achamos de nossas habilidades para lidar com certas situações ou tarefas.

Partindo dessa definição, entendo que a autoestima tem, sim, uma sensível semelhança com a autoconfiança, e esses dois comportamentos podem ser fortes elementos na hora de sabotarmos a nossa própria vida. Mas a diferença básica é que, sendo a autoestima uma ideia que você tem de si mesmo, precisa dela para depois aceitar o fato de que pode também ter habilidades. Sem que haja em alguém um bom valor de si mesmo, dificilmente essa pessoa poderá expressar confiança. Acho praticamente impossível que isso venha a acontecer.

No exemplo que vimos de Moisés no seu estado de prisioneiro de uma zona de conforto, podemos atribuir-lhe a falta de autoconfiança. Ele sabia bem quem era, conhecia sua origem hebraica, sabia que recebera uma esmerada educação no palácio do faraó, como todos os filhos reais, em diferentes artes e habilidades, provavelmente falava outras línguas e podia ser competente em tudo que fizesse, de modo que ele não tinha motivos para ter baixa autoestima. Mas seu mal foi a ausência de crença de que era capaz e competente para alcançar o sucesso na sua missão.

Se continuarmos procurando nas Escrituras, iremos encontrar pessoas que enfrentaram dificuldades por conta de uma boa parcela de falta de autoconfiança e baixa autoestima, motivo pelo qual quase sabotaram o propósito de Deus em sua vida. Todas elas deixaram um legado importante e fundamental na história da salvação. Vejamos o caso de Gideão, narrado no capítulo 6 do livro de Juízes.

O exemplo de Gideão

A leitura da passagem bíblica abaixo ajudará bastante.

> *O Senhor se voltou para ele e disse: "Com a força que você tem, vá libertar Israel das mãos de Midiã. Não sou eu quem o está enviando?" "Ah, Senhor", respondeu Gideão, "como posso libertar Israel? Meu clã é o menos importante de Manassés, e eu sou o menor da minha família"* (Jz 6.14,15).

Se você conhece o desfecho desse chamado, também sabe que a vitória liderada por Gideão foi algo inominável, e você pode antecipar a ideia do que seria perdido se Gideão tivesse vencido essa disputa com Deus e evitado ir à batalha. É aqui que a falta de autoconfiança e/ou a baixa autoestima colaboram, se não são as razões principais de sabotarmos esse chamado de Deus. Veja que no diálogo com Deus Gideão menciona as suas origens: *Meu clã é o menos importante de Manassés, e eu sou o menor da minha família*, ou seja, suas origens não o credenciavam para essa obra, seu passado familiar o condenava e, por definição, o que ele achava de si mesmo poderia bloquear a sua ascensão. Não convencido com o chamado, ele vai até o fim tentando se justificar de que suas origens não o qualificavam, até que lança um desafio a Deus com a história da grama molhada e depois enxuta. Repetiu a operação, na clara demonstração de que não acreditava em si mesmo. A isso, chamamos ausência de autoconfiança.

Talvez agora você possa identificar se está tentando autossabotar a sua vida com comportamentos nos quais a baixa autoestima e a ausência de autoconfiança o bloquearam. Olhe para a sua vida agora e tente perceber se houve ou há nela alguma característica que tentou ou conseguiu levá-lo para um estado em que bloqueou a sua ascendência, seja profissional, seja eclesiástica, seja até mesmo familiar. Em muitos casos, as pessoas fazem isso sem a devida consciência, sem noção do que estão fazendo, e assim prejudicam sua própria vida, seu chamado para se realizarem e executarem o plano de Deus ou levar adiante sua carreira profissional.

Para identificar esse tipo de atitude, podemos dizer que existem algumas características nesse tipo de comportamento. Alguém que está autossabotando sua própria existência mostra, de maneira geral, alguns sinais. O primeiro deles é que essa pessoa evitará sempre correr riscos. Dentro de cada atividade em que estamos envolvidos, quer na vida profissional, quer no ministério, quer em outra área, normalmente há riscos a serem vivenciados, e eles fazem parte do desenvolvimento e do crescimento da pessoa, especialmente de líderes. Estes, para vencer etapas e processos, precisarão tomar atitudes que envolvem algum tipo de risco. Uma empresa que precisa conquistar um mercado terá sempre um líder que precisará ser ousado, e isso envolve riscos; um pastor que deseja levar sua comunidade a um patamar superior e a um crescimento significativo estará envolvido em um processo que envolve riscos, e isso é inevitável. Se essas pessoas não tiverem autoconfiança, todos esses planos podem ser prorrogados. Sabemos que correr riscos não é algo que por natureza desejamos, mas a função dessas pessoas é essa, e elas somente lograrão êxito em seus desafios se correrem riscos. Quando não confiamos em nós mesmos, quando achamos que nossas habilidades são limitadas, apesar de termos recebido todo treinamento e termos toda capacidade acumulada e conhecimento para lidar com tais situações, passamos a nos comportar com a atitude de que onde estamos está bem, tentamos nos convencer de que não há necessidade de dar outros passos; afinal de contas, já chegamos longe demais. Mesmo que o cenário mostre que só avançaremos se ousarmos a assumir riscos, não sairemos do lugar, e a falta de autoconfiança nos manterá presos em certa zona de conforto.

Outra característica é quando a pessoa não consegue tirar proveito das oportunidades que aparecem. Essa atitude está diretamente vinculada à primeira de não correr riscos. Claro, jamais tirarei proveito das oportunidades se eu temer as consequências de cada passo que eu der na direção de avançar etapas. Todos sabemos que somente avançamos se tiramos "proveito" das oportunidades. Em diferentes situações, isso se aplica. Um vendedor que deseja ampliar sua carteira de clientes ou um CEO (*Chief executive officer*) que necessita ampliar as fronteiras de sua companhia, até um pastor e líder que enxerga as possibilidades de crescimento de sua igreja e ministério, sabe que para isso terá que enxergar as oportunidades e tomar posse delas. No mundo evangélico principalmente, existe a expressão "tomar posse daquilo que Deus tem para nós". Para muitos, isso não passa de uma atitude positiva, um autoconvencimento, mas não é nada disso. Tomar posse de qualquer coisa tem a ver com enxergar as oportunidades e tomar a atitude certa naquele momento.

Fui um fã das corridas de Fórmula 1 durante muito tempo e confesso que perdi todo interesse naquele trágico domingo da morte de Ayrton Senna. Sempre me empolguei com as corridas, e um dos momentos críticos e que mais chama a atenção dos admiradores desse esporte é o final da grande reta, logo na primeira volta após a largada. Os pilotos chegam ali a uma alta velocidade, e só há duas opções: ou freiam e deixam outros carros passarem, ou enfiam-se ali dentro daquele amontoado de carros, procurando a oportunidade de ganhar posições.

Um CEO vê que o produto de sua empresa tem boa aceitação e deseja abrir novos mercados, mas existem outras companhias na mesma área de seu negócio também desejando ampliar-se. Ele tem uma boa estratégia e precisa enxergar agora a oportunidade certa e tomar a decisão. Um pastor enxerga que sua igreja precisa crescer, mas o edifício onde se reúnem já está limitado. Então, procura um local e descobre um prédio interessante e bem localizado. Essa é a oportunidade de dar um passo além, de ousar, mas, se ele não conseguir enxergar a oportunidade, perderá a chance. Não creio no ditado que diz: "O cavalo selado só passa uma vez". Se eu cresse nesse ditado, estaria afirmando que Deus só nos dá uma chance, e isso não se sustenta à luz das Escrituras. Mas, por outro lado, sei que boas oportunidades não acontecem com muita frequência, por isso mesmo preciso estar atento para agarrá-las.

Alguém com baixa autoconfiança olhará para si mesmo sempre como alguém que não está qualificado para dar aquele passo, entendendo que a situação em que se encontra é, de certa forma, bem razoável, que já está cumprindo o seu papel, gerando, dessa forma, certa comodidade. É como dizer ao piloto: "Você já chegou na Fórmula 1, já agarrou a oportunidade; mantenha isso". Ou dizer ao CEO: "Sua companhia já tem um excelente mercado. Para que abrir mais?" Ou ao pastor: "Sua igreja já é uma bênção onde ela está. Outros alcançarão aquela região!" Qual o problema nisso tudo? Entre outros, é que esses profissionais serão, em algum momento, pressionados ou por seus superiores que desejam ganhar corridas ou ampliar o mercado, e até o pastor será pressionado pela situação, pois possivelmente sua estagnação ali gerará interesse em sua membresia de ir a outra igreja, cujo culto é mais dinâmico, mais contemporâneo, a qual, tendo agarrado as oportunidades, cresceu e se tornou atrativa a muitos.

Nesses dois casos, sabotamos nossos planos, e existe ainda neles algo comum: a atitude de manutenção. Quem deseja se manter onde está, já estará perdendo espaço para alguém que vem atrás desejando ganhar esse espaço.

(Meu conselho)

Você tem uma vocação. Isso, com certeza, todos temos. Se Deus estiver de alguma forma chamando-o para usar essa vocação em favor de seu reino, Ele dará os sinais no momento certo. Atitudes de excesso de autoestima que beiram a presunção, ausência de autoestima que demonstra descrédito a si mesmo, autoconfiança exagerada que estufa o peito e diz que pode tudo, ou ainda a baixa autoestima que assume ser incapaz por natureza antes mesmo de tentar algo, vai gerar alguém que não corre riscos e não enxerga as oportunidades ou que, da mesma forma, enxerga o que não existe e quer entrar pela porta que ainda não se abriu. Sugiro que tudo seja feito com bastante reflexão, que os conselhos sejam ouvidos e que, identificadas as reais oportunidades, atitude seja tomada com responsabilidade. Várias pessoas tiveram a vocação e o chamado, mas não se sabotaram porque, além de terem autoconfiança, tinham uma autoestima considerável e madura que conhecia seus limites, mas também suas oportunidades. Com você pode suceder da mesma forma! Há horas em que Deus diz não, e ser "empoderado" depende mais dEle do que de você. Está nas mãos dEle. O poder da ação é de Deus, e o discernir o momento é nosso.

Relacionamentos:
uma praia
de areia fofa

Posso caminhar
nela sem cansar?

*A paixão queima, o amor
enlouquece, o desejo trai.*
LUÍS FERNANDO VERÍSSIMO

Parece algo de difícil compreensão, mas não é difícil encontrar pessoas que estão sabotando seus próprios relacionamentos. Namoro, noivado e casamento são desfeitos ou terminam em um ambiente tão dividido que racionalmente, ninguém em sã consciência, desejaria para si. Mas é exatamente isso que acontece. Homens e mulheres têm caído nessa armadilha destruidora que eles mesmos montam por não aceitarem determinada realidade que estão vivendo ou que estão prestes a viver. A mente humana sabota essa realidade, tentando impedir que ela aconteça por diferentes razões, algumas já apresentadas nos capítulos anteriores, e que ocorrem consciente ou inconscientemente.

Relacionamentos podem se transformar em áreas pantanosas. Como diz o pensador: "O coração tem razões que a própria razão desconhece",[11] e isso faz parte da nossa realidade. Há algum mistério em nosso ser que em diferentes situações trabalha contra nós mesmos. Aqui vamos apresentar algumas situações onde podemos identificar um grau de autossabotagem que põe nossos planos a perder e, consequentemente, coloca a nossa vida em risco. Procure perceber quando, ainda que de maneira sutil, esses comportamentos estão presentes em sua vida, e em seguida vamos trabalhar antídotos em forma de atitudes que o ajudarão a se livrar de tudo isso. Bem-vindo ao processo de autocrítica, sem o qual nada avançaremos e nada superaremos.

Sabotando pelo foco equivocado

A primeira situação que desejo expor aqui é quando você tem seu foco em tudo que está errado e deixa de perceber o que anda dando certo. Não é incomum isso acontecer, porque de alguma maneira sabemos que as pessoas, por que não dizer nós mesmos, têm a tendência de achar tudo aquilo que estão procurando, que vai dar certo ou errado. Os mais otimistas sempre creem que estão indo bem, enquanto os mais negativos e pessimistas sempre estão de prontidão para dizer que estão no pior momento de todos. É claro que existe possibilidade de, em algum momento, ambos estarem certos, e pode ainda existir uma boa base de razão para ambos os pensamentos, mas depende de se "alimentar" um deles e seguir adiante. Associado a isso, temos a capacidade de conseguir conviver naquele mundo que criamos optando por seguir uma das premissas construídas por nós mesmos.

Claro, em qualquer relacionamento existirá sempre situações nas quais o foco pode determinar a direção que ele vai tomar. Se eu foco os erros de meu cônjuge todo o tempo, eu estou minando essa relação, porque ninguém erra sempre ou está sempre certo.

---

[1]Disponível em: <https://pt.wikiquote.org/wiki/Blaise_Pascal>. Acesso em: 16.07.2019.

O convívio vai mostrar que existem as duas possibilidades, mas, se decido dar atenção apenas ao que saiu errado, estarei pondo em alto risco uma relação que sempre será marcada de erros e acertos. A escolha será sempre nossa, e dependerá da direção em que olhamos. Se fixarmos nossa percepção sempre nos erros, estaremos indo na direção de achar mais erros e amplificaremos toda essa dimensão. Casais atuam assim com muita frequência e fazem a escolha errada de olhar sempre as falhas um do outro, tornando-se verdadeiros cobradores dos "impostos devidos". Ninguém suporta um ambiente de cobrança permanente, e essa relação terminará em uma provável separação. Por outro lado, se desejar ser feliz e administrar os erros de seu cônjuge com mais paciência e otimismo, você será mais sábio, especialmente quando compreendemos que, da mesma forma que ele erra, nós também erramos e, assim, necessitamos de compreensão e perdão. Entenda que sempre direcionar seu foco para o erro do outro é o mesmo que estar armando uma cova em que ambos cairão dentro. Agindo assim, você está sabotando o futuro dessa relação, que será inevitavelmente rompida.

O que fazer? Alguns conselhos podem ajudar. Claro, já dissemos que concentrar-se constantemente no erro do outro é um erro. Mas nem sempre o que sabemos conseguimos levar a efeito, por isso vamos ver o que a Bíblia tem para nos dizer a esse respeito.

Começo com algo que todos nós precisamos saber e que a Bíblia deixa claro: *Não há um justo, nem um sequer* (Rm 3.10). Partindo desse pressuposto, é então importante que, quando focamos o erro do outro, há uma brecha em nós que estará na mira de alguém. Isso é básico e precisa ser observado. Entender isso se torna um antídoto contra esse aspecto da autossabotagem dos relacionamentos, porque me leva a tirar o foco dos erros e, assim, abre portas para o outro como alguém que, como nós mesmos, também erra. Desenvolver uma mente mais complacente com o outro e que se abre para a compreensão é um largo passo para evitar a autossabotagem de seu relacionamento.

Jesus tratou desse assunto em sua mais conhecida mensagem chamada de O Sermão do Monte:

Não julguem, para que vocês não sejam julgados. Pois da mesma forma que julgarem, vocês serão julgados; e a medida que usarem também será usada para medir vocês. Por que você repara no cisco que está no olho do seu irmão, e não se dá conta da viga que está em seu próprio olho? Como você pode dizer ao seu irmão: "Deixe-me tirar o cisco do seu olho", quando há uma viga no seu? Hipócrita, tire primeiro a viga do seu olho, e então você verá claramente para tirar o cisco do olho do seu irmão (Mt 7.1-5).

Quando assumimos a atitude de um cristão e a levamos a sério, temos de assumir aquilo que o próprio Jesus disse como verdade absoluta e regra para nossa vida. Ora, se você se identifica assim, perceba o que Jesus nos ensina. Relacionamentos amorosos, conjugais, namoros etc. fazem parte de nossa vida e devem ser levados a sério dentro da perspectiva cristã. O ensino aqui é um antídoto para quando alguém está autossabotando seu relacionamento mediante o juízo do erro de seu companheiro. No final desses versículos, Jesus diz algo radical: [...] *tire primeiro a viga do seu olho, e então você verá claramente para tirar o cisco do olho do seu irmão.* E por que você acha que ele disse isso? Ora, porque, quando você olhar para dentro de si mesmo com a mesma visão com que está focando o erro do outro, encontrará tantos erros e falhas que desistirá de julgar seu companheiro. O espelho estará diante de você, e você poderá decidir o que fazer de modo mais verdadeiro e sincero.

Fui casado por 31 anos. Hoje faz alguns meses que estou viúvo de minha querida esposa, Valéria. Esse tempo de casado, somado a cinco anos de namoro, foi muito pedagógico e suficiente para que eu possa lhe afirmar esta verdade: a trave nos nossos olhos de fato nos impede de enxergar o que há de verdade a ser visto. Nossa vida em comum começou com duas pessoas de contextos familiares bastante distintos, com histórias de vida bem diferentes, e os ajustes somente puderam ser feitos quando olhamos um para o outro na perspectiva da compreensão das nossas histórias de vida. São muitas as marcas que carregamos de nosso passado, e uma linda face ou os olhos bonitos, um corpo deslumbrante, uma personalidade alegre ou coisas desse tipo nunca serão suficientes para deter os impulsos de julgamento que um dia surgirão nos relacionamentos.

As circunstâncias da vida, a pressão do dia a dia, os desafios financeiros e outras tantas pressões na vida de um casal podem trazer à tona marcas de uma personalidade que antes não se manifestara, apesar das aparências estéticas do outro. Por isso, olhe para o outro com o olhar aguçado da compreensão, procurando entender o que o levou a agir daquela maneira, coloque-se no lugar dele e por fim pense com sinceridade: "No lugar dele, o que de fato eu teria feito?" Posso lhe assegurar que em fazendo isso de verdade a autossabotagem estará cada vez mais longe de seu relacionamento.

Sabotando pela falta de compreensão da realidade do outro

Outro aspecto que pode ajudar no combate à autossabotagem de seu relacionamento é a maneira como você vai abordar o erro de seu cônjuge. Existem duas saídas aqui, e elas precisam ser bem compreendidas. Preste bem atenção: isso pode salvar ou abençoar sua relação de uma maneira permanente. Quando o cônjuge faz algo inadmissível a seu ver, isso pode parecer que vai deixar você em uma situação que chamamos de "beco sem saída". Mas será mesmo? Será que não há uma maneira de abordar a situação com sabedoria e discernir o que é mais importante?

Tem-se dito muito nos últimos tempos a frase: "Você quer ser feliz ou ter razão?" Bom, o ideal, sabemos, seria ser feliz e ter razão, não é verdade? Mas nem sempre isso vai acontecer. Acho até que, se isso acontecesse nos relacionamentos, seria um grande milagre. Mas pode haver outras maneiras de abordarmos certas situações que talvez gerem o milagre do dia a dia, que é ter um relacionamento no qual duas pessoas falíveis, incompletas, errantes podem chegar ao entendimento. Portanto, as duas saídas serão sempre estas: "estar sempre certo" ou "compreender o outro". E eu explico como podemos optar pela compreensão, mesmo sabendo que o erro do outro foi real, sério e trouxe prejuízos ao relacionamento.

Vamos partir do pressuposto de que você não escolheu se relacionar com uma pessoa que deseja lhe fazer o mal. Você, em sã consciência, não iria buscar isso. Se, por acaso, acontecer, é porque não o percebemos antes, mas conscientemente ninguém quer estar com alguém que lhe deseja o mal. Contudo, situações acontecem onde aparentemente isso pode estar sugerido. O erro foi tão claro, havia uma saída que não foi uma opção, e por que então devo acreditar que ele(a) não queria o meu mal? Ora, pelo que acabamos de ver, você não acredita que houve uma intenção voluntária de essa pessoa o ferir. E como isso ajuda? Sim, ajuda, porque, partindo desse pressuposto, existe uma brecha para que se possa contornar a intenção voluntária e admitir que existe algo maior que pode ser visto como amor e, lá no fundo, como a intenção de acertar, mas que de alguma maneira tomou outra direção. Então, o que fazer? Bom, eis aqui meu conselho.

Já dissemos que, se assumimos a fé cristã como regra de nossa vida, devemos buscar nela a direção para administrar os dilemas de nossa existência. Não faria sentido apelar exclusivamente para a ciência, a psicologia, e, com todo o respeito, aos terapeutas; posso dizer que existe um momento em que a decisão de incluir o perdão vai incomodar esses especialistas, que em muitos casos dirão: "Cuide da sua vida, se valorize, levante a cabeça...". O cuidar de sua vida na perspectiva cristã deve excluir o orgulho e a altivez e incluir a alternativa que Deus considera nessa situação. O ato de se valorizar não pode nunca afastar a verdade de que aquele que mais valoriza você, que deu a sua vida em seu favor, tem interesse no melhor para você, de modo que ouvi-lo precisa ser uma opção. Levantar a cabeça pode sugerir também um "deixa disso e parta para outra...". Mas como cristãos não partiremos para qualquer lugar se essa não for a direção de Deus e as demais possibilidades estejam esgotadas. Dito isso, vamos aos conselhos bíblicos exarados na

Palavra de Deus para cada um de nós e para as diversas situações que envolvem nossa vida.

Houve um homem chamado Jó, um exemplo de alguém que sofreu mais do que qualquer um poderia suportar, sem, no entanto, abominar a Deus. Para os amigos de Jó, "terapeutas" por perto, nada mais valia a pena. Os conselhos foram no sentido de que ele abandonasse o seu Deus e morresse, mas Jó, diferente deles, tinha um outro olhar sobre a situação e lhes diz:

> *Porque há esperança para a árvore que, se for cortada, ainda se renovará, e não cessarão os seus renovos. Se envelhecer na terra a sua raiz, e o seu tronco morrer no pó, ao cheiro das águas brotará, e dará ramos como uma planta* (Jó 14.7-9).

De acordo com a perspectiva cristã, há, sim, sempre uma esperança, e é isso que nos move de um ponto ao outro. Se cremos que há esperança para nós, devemos crer que há também uma esperança para os outros. Jó poderia ter autossabotado seu futuro, aliás ele teve até motivos concretos para, humanamente falando, desistir de tudo e se entregar à morte. Entenda, eu não estou dizendo que, porque aconteceu com Jó, tem de acontecer com você, mas que há uma esperança e, se ela existe, uma chance pode ser dada, dentro de toda a racionalidade possível.

Outra perspectiva para enxergar situações assim é olhar pelo lado da misericórdia de Deus. Se somos cristãos, queremos ser iguais a Jesus, queremos desenvolver Seu caráter em nós, e você há de concordar comigo nisso. Pois bem, sendo assim, permita que eu lhe mostre outro ângulo de contextos como esse, em que, dentro dos relacionamentos, ocorrem erros que julgamos imperdoáveis.

O profeta Isaías fala de uma situação na qual Deus, em Sua grandeza e misericórdia, não está interessado em destruir as pessoas, mas, ao contrário, reconstruí-las. Assim, ele afirma que o Senhor não quebra a cana que já está danificada, nem apaga o pavio que fumega. Quando estamos diante de alguém que errou, que demonstrou fraqueza em determinada área, se temos o desejo de agir com o coração de Deus, podemos nos perguntar: pagaríamos com a mesma moeda? Assumiríamos a atitude da lei de talião, "Olho por olho, dente por dente"? Ou buscaríamos absorver o coração de Deus e tentar restaurar aquela cana e manter aquela chama acesa? Talvez você agora possa perguntar: "E até onde vai essa atitude? Existe um limite?" Sim, existe, e claro que aqui não podemos entrar em todos os detalhes. Mas podemos reconhecer que algo é certo. Nossa primeira atitude não pode ser a de descartar aquele que erra contra nós; afinal de contas, essa não é a atitude de Jesus e de todo o ensino que Ele nos deixou. Na realidade, essa corda da misericórdia e do perdão é longa. Jesus disse que ela vai até 70 vezes 7. Entenda: o perdão é incondicional, mas as decisões são racionais.

Meu conselho nesses casos que consideramos reincidentes e graves é buscar ajuda em alguém que esteja por perto, que conheça a situação e as pessoas envolvidas. Se eu, como conselheiro de relacionamentos, tivesse descartado as possibilidades de reconstrução de alguns relacionamentos que ajudei, teria sabotado uniões que se tornaram frutíferas, geraram bênção e hoje estão servindo de exemplo para muitos.

A sabotagem pela autocentralização

Outra atitude a ser considerada na autossabotagem dos relacionamentos é quando, por algum motivo, achamos que somos o centro de tudo. Esse sentimento é muito nocivo porque coloca a pessoa em uma situação longe da realidade, uma vez que sabemos claramente que não somos esse centro. Existe um mundo que gira em torno do propósito de Deus ou, se preferir, de um propósito maior. Parece algo irracional achar que tudo gira em torno de nós mesmos, mas pasme: essa realidade existe em mais casos do que você possa imaginar. Ela é fruto de uma distorção do "eu", de um ego maltratado, de frustrações diversas, ou simplesmente de uma educação familiar que de fato se desenvolveu em torno de alguém com tamanha superproteção que, quando algo fora de sua vontade acontecia, era porque alguém havia errado ou fizera algo contrário ao padrão dessa pessoa.

Talvez possamos ver pelo ângulo de que existe uma tendência no ser humano de enxergar suas necessidades como sempre prioritárias e que devem ser satisfeitas a qualquer custo. Nesses casos, negociam-se valores pessoais e se age como quem enxerga na perspectiva de quem usa antolhos, que são aquelas proteções usadas pelos cavalos em carroças e carruagens, a fim de mantê-los olhando sempre para a frente e não enxergar nada mais. Isso vai evitar que essa pessoa perceba que em boa parte das situações ela não é o centro e que nem todas as atitudes do cônjuge têm a ver com ela ou têm nela o centro.

Em vez de ter esse olhar autocentrado, procure desenvolver uma empatia pelo seu cônjuge e demonstrar com maturidade que entende que ele também tem suas necessidades e que elas, da mesma forma que as suas, precisam ser satisfeitas. É crucial que você entenda que é a pessoa mais indicada para ajudar seu cônjuge a alcançar esse ponto de equilíbrio e ter suas necessidades atendidas; afinal de contas, é você quem o conhece melhor e o enxerga mais de perto, sem as possíveis máscaras que tornam nossa imagem difusa.

Quando alguém se mantém levando tudo para o lado pessoal, insistindo em ser o centro de tudo, é inevitável que se chateie com facilidade. Quando isso acontece, o primeiro prejuízo é na área da comunicação, que se interrompe, agrava a situação e põe em risco o relacionamento. Considero isso parte do processo de autossabotagem porque provavelmente, se esse comportamento perdurar, essa relação não resistirá e será rompida.

Meu conselho nesses casos começa com a sabedoria bíblica registrada por Paulo aos Efésios, quando ele diz: [...] *não deixe o sol se pôr sobre a sua ira* (4.26). Isso pode nos levar à consciência de que situações desse tipo, e claro de outros, não devem ser acumuladas, e sim resolvidas antes de o dia terminar. Costumo usar esse texto para dizer aos casais envolvidos com esse clima de tensão permanente que não durmam sem conversar sobre o assunto, que tratem dele naquele mesmo dia, e, mesmo que a situação não se resolva totalmente, iniciem o diálogo que abrirá perspectivas de solução dos conflitos.

Também aconselho outra abordagem para superar essa situação. A Bíblia nos ensina que o olhar para o outro deve sempre envolver o apoio nas fraquezas: *Suportem-se uns aos outros e perdoem as queixas que tiverem uns contra os outros. Perdoem como o Senhor lhes perdoou* (Cl 3.13).

O suporte, como apoio, dá sustentação ao outro e mantém a relação em equilíbrio. Como cristãos, devemos sempre pensar no outro da mesma forma que pensamos em nós mesmos. Essas foram palavras de Jesus Cisto, por isso devemos crer que isso ajudará a manter as relações amorosas em perfeita harmonia e será sempre um antídoto para a autossabotagem. Quando você for tentado a enxergar tudo sob o ângulo pessoal, lembre-se de que esse é um estado de risco, porque ameaça o futuro de sua relação. Ao contrário, seguindo os parâmetros das atitudes e comportamento consoante o conselho bíblico e, assim, de acordo com a vontade de Deus, o presente e o futuro de seu relacionamento não estarão sob risco, mas, sim, sob a bênção do Senhor.

Sabotagem pela ausência da verdade

Também autossabotamos nossos relacionamentos quando a verdade não está presente neles. É preciso entender que somos nós que criamos um ambiente favorável à presença da verdade em nossa vida, e não será diferente nos relacionamentos. É certo que nesses casos não estamos comprometendo apenas a nossa vida, mas também a vida de outras pessoas, o que envolve filhos e filhas, sogros e sogras e outras mais. Isso torna ainda mais importante desenvolver uma relação transparente. Atuei muito em meu ministério como celebrante matrimonial e sempre fiz questão de ter várias entrevistas com o casal em um processo pré-matrimonial.

Gostei muito de fazer isso e, na realidade, essa experiência resultou num livro[22] que escrevi com base na minha percepção de como os casais chegam ao dia do casamento. Uma de minhas conclusões, e o livro se voltou para ajudar nesse sentido, foi que eles chegam sem se conhecer.

Impressiona o nível de desconhecimento mútuo entre esses casais, e a razão maior disso é que os dois omitem a verdade de suas intenções, planos, história de vida, temperamentos, o que, claro, resulta na revelação de outra pessoa depois do casamento. Aquela pessoa que estava sendo omitida, cedo ou tarde, haverá de aparecer e porá em risco essa relação. E por que essa omissão acontece? Ora, porque a revelação da pessoa que eu sou não agradaria ao outro, de modo que, para preservar a relação, se fazem concessões, que nada mais são que mentiras recheadas de tolerância temporária. Mas elas têm "prazo de validade". Quando a "validade" acaba, surge aquela conhecida expressão: "Não foi com essa pessoa que eu me casei" e, tenha certeza, não foi mesmo: você casou com uma pessoa imaginária que você mesmo ajudou a existir ao omitir a verdade em tantas áreas, especialmente em suas preferências e gostos. Isso é uma verdadeira arte, a arte de sabotar a sua própria vida.

O que fazer então? Traga a verdade sobre você, sobre seus gostos, sobre sua família, sobre tudo que o envolve no começo da relação. Seja autêntico e não tenha receio de estar minando o relacionamento; afinal de contas, se essa relação vier a se concretizar em um casamento, é muito importante que seja com a verdadeira pessoa, e não com um mito que você ajudou a criar. Se você está na fase de namoro e noivado, aconselho mais do que nunca essa atitude, como antídoto para a sabotagem do futuro dessa relação. Se já é casado e percebe que a verdade não está presente, ou não esteve presente lá atrás, trate de iniciar um processo de exposição

---

[2]UCHOA, Miguel. *Diga sim com convicção: o que você precisa saber antes de se casar.* São Paulo: Editora Mundo Cristão, 2014.

da verdade. Pode ser difícil, mas será sempre libertador. O poder do perdão é algo imensurável.

Como cristãos, cremos naquilo que Jesus disse, e Ele afirmou categoricamente: *Conhecereis a verdade, e a verdade vos libertará* (Jo 8.32). Muitos têm receio de enfrentar a verdade por medo das eventuais perdas que podem sofrer nos relacionamentos. Não foram poucas as vezes em que deparei com situações nas quais um dos lados tinha dificuldade de dizer a verdade sob a justificativa de que isso encerraria a relação. Mas, se estou me preparando para casar com alguém e esse alguém imagina, por tudo que omiti e criei, que eu sou outra pessoa, será melhor que essa relação não siga adiante; ela, por si só, já está sabotada. Uma relação verdadeira, na qual pessoas, e não personagens, estão presentes há de prevalecer. Se eu amo uma pessoa, o amor pode superar tudo; se eu amo um personagem, amo algo imaginário que com o tempo e os desgastes da relação irá sucumbir. Opte pela verdade sempre e proteja seu relacionamento.

A sabotagem pela falta de prioridades

A maior prioridade em nossa vida como cristãos será sempre o reino de Deus; afinal de contas, esse é o ensinamento do próprio Jesus. Esse critério nos servirá para tudo que fizermos em nossa vida, e os relacionamentos devem ser parte disso. Jesus, no evangelho de Mateus, instrui: *Busquem, pois, em primeiro lugar o reino de Deus e a sua justiça, e todas essas coisas lhes serão acrescentadas* (6.33).

Continuando a falar daquilo que a nosso ver pode sabotar os relacionamentos, não podemos deixar de mencionar a ordem das prioridades. A vida é um conjunto de hierarquias, e fugir disso é fugir de uma das maiores realidades existentes. Você valoriza o que ama! E é isso que constrói a sua escala hierárquica de prioridades. Nos relacionamentos, assim como em tudo na vida, essa escala precisa ser observada. Como eu já disse aqui, acompanhei centenas de casais na preparação para o casamento e no desenvolvimento da vida matrimonial. Assim, observei que todo o desenvolvimento dessas relações está vinculado à ordem adequada das prioridades. Pode parecer algo simples, mas não é. Essa ordem, se não for bem discutida, vivenciada, experimentada, no período do namoro e noivado, trará para dentro do casamento prejuízos potenciais que colaborarão para que a sabotagem se concretize e o relacionamento seja destruído. Ainda na fase do namoro e noivado, muitas vezes, de antemão, essa realidade já pode ser percebida, quando comumente se usa a conhecida frase: "Isso não tem futuro", e não tem mesmo, pois o presente está agindo como sabotador do futuro.

Mas como nossa ordem de prioridades pode sabotar nosso relacionamento? Isso eu compartilho a partir de agora. Quando decidimos entrar em um relacionamento sério com outra pessoa, estamos entrando em outra dimensão da vida, que vai requerer demandas antes não existentes, e isso muda toda a nossa conduta em relação a prioridades. Sim, quando estou me relacionando com alguém e levo isso a sério, meu tempo, meus planos, meus amigos, minha família e tantas outras coisas que fazem parte de meu dia a dia entram em uma nova hierarquia de prioridades. Certa vez, conheci um casal de noivos que estava prestes a se casar. Nas minhas conversas, percebi que havia uma hierarquia confusa da parte do rapaz que colocava seus amigos e seu tempo com eles adiante do tempo com sua noiva e futura esposa, assumindo que isso deveria continuar, pois era importante manter os amigos.

Acredito na importância das amizades, e devemos, sim, cultivá-las, mas a hierarquia precisa ser reordenada quando constituímos uma família. Depois de algum tempo, reencontrei a jovem noiva que havia se casado, no entanto estava separada, pois o quadro não havia mudado e se tornara insuportável. Assim, aquele jovem, sem saber, estava sabotando, com sua atitude, o futuro de seu relacionamento. Quando os conheci ainda noivos, tive a impressão de que se amavam, queriam se casar e viver juntos para sempre, mas, como a autossabotagem é verdadeiramente uma arte, esse "artista" trabalhou bem e sem nenhuma intenção real acabou por minar uma relação onde havia amor por ter se descuidado de eleger as prioridades da rotina desse amor.

O oposto disso é levar o relacionamento a um isolamento social que promova uma sensação de autossuficiência. Trata-se de uma atitude totalmente equivocada. Por um tempo, na igreja onde eu era pastor da juventude, o nome dado a esse tipo de relacionamento era "ostra", e por quê? Porque o isolamento social levava esses casais a se fecharem em sua própria vida e a entenderem que eles se bastavam. As ostras raramente se abrem; elas filtram tudo e guardam para si. A pérola nada mais é do que o fruto desse enclausuramento e proteção. Ela é formada por um corpo estranho que é absorvido e recoberto com uma substância. Talvez você diga: "Mas, veja, resultou em algo valioso". Sim, de fato as pérolas são valiosas, mas só podem ser usadas por alguém se forem arrancadas das ostras abruptamente, e muitas ostras são estragadas até que se ache uma pérola. Elas não produzem pérolas altruisticamente; elas se fecham para produzi-las, e só temos acesso a elas porque tivemos de extraí-las à força.

Relacionamentos isolados socialmente são também uma forma de autossabotagem. Como seres sociais, necessitamos interagir. Não nos bastamos a nós mesmos, necessitamos de uma vida social. O antídoto para essa forma de autossabotagem das prioridades desordenadas é o equilíbrio. Alguém diria: "Nem tanto nem tão pouco". A vida privada de um casal deve ser intocável. Deve existir e ser mesmo planejada, entrando na rotina do casal. Da mesma forma, a vida social é importante e deve existir de maneira equilibrada. O antídoto para essa ameaça da autossabotagem nesse tipo de relacionamento é o convívio equilibrado com outros casais. Isso deve ir além da formalidade e entrar no convívio desejado, pois é esse tipo de convívio que aproxima pares que se enriquecem com as experiências dos outros e, crescendo, amadurecem seus relacionamentos, a ponto de se protegerem da autossabotagem promovida pelo isolamento ou pela vida social intensa que prejudique a vida privada necessária a todos os casais.

Eu e minha querida esposa, vivemos 36 anos juntos e descobrimos que nosso tempo era de fato ouro, tempo precioso, por isso o usávamos da melhor maneira possível. Semanalmente, tínhamos um tempo para nós do qual ninguém mais participava. Nossos filhos quando pequenos, ainda não entendiam isso e perguntavam: "Vocês vão para onde?", ao que respondíamos: "Papai e mamãe vão namorar". Eles não entendiam bem, pois, se éramos casados, por que íamos namorar? Então, aproveitávamos para ensinar a importância do namoro dentro do casamento. Muitos casais acham que porque casaram o namoro acabou e, com ele, também não entendi. Crie uma rotina planejada para o seu relacionamento, um tempo para vocês, um tempo para os amigos e a família, um tempo para servirem juntos na igreja dentro das prioridades certas. Isso será um antídoto para a autossabotagem, pois se tornará um investimento alto na saúde de seu relacionamento.

A sabotagem pela falta de boa comunicação

Relacionamentos saudáveis é o que todos nós desejamos e eles não existirão se não houver também uma boa linha de comunicação. E uma boa definição de comunicação é dizer que ela acontece quando existe um emissor, que emite uma mensagem, e um receptor, para quem a mensagem é direcionada. A comunicação só existe quando esse ciclo se completa. A mensagem é emitida e, do outro lado, é recebida e compreendida. Entenda o seguinte: apenas emitir uma mensagem não significa que houve comunicação; ela precisa ser compreendida pelo receptor para que isso aconteça.

Em um relacionamento amoroso, e isso pode ser desde um namoro até um casamento, haverá saúde na medida em que a comunicação se torne efetiva. Isso significa que existe alguém dizendo algo e alguém que precisa compreender o que está sendo dito. Namorados às vezes emitem apenas sinais nem sempre compreensíveis. Esses sinais são apenas uma maneira superficial de dizer algo, emitir uma opinião, fazer algum plano e outras coisas mais.

Esses sinais não são sempre compreensíveis porque quem os emite está intencionalmente omitindo as verdadeiras intenções por ter dúvidas de se o outro compreenderá ou concordará com o que está sendo exposto. Nesse caso, entra em cena uma das armadilhas de autossabotagem na comunicação dentro de um relacionamento amoroso, e ela se chama concessão.

Cônjuges, namorados, companheiros abrem mão de suas convicções pessoais deixando de comunicar seu mais íntimo ser, planos etc, por receio de que surjam discordâncias que comprometam o andamento da sua relação. Na realidade, é exatamente isso que estará sabotando a relação, pois, mais adiante, quando isso for revelado, tudo poderá ruir, em um estágio onde emocionalmente houver muito mais envolvimento, e, em decorrência, haverá muito mais decepção e sofrimento. A concessão é uma das maneiras na qual atua a ausência de uma boa comunicação, e você pode ter certeza de que essa relação vai sofrer graves consequências por isso.

Dando prosseguimento ao que estamos examinando, atentemos agora para como podemos construir um relacionamento saudável quando o outro não sabe como fazê-lo. Na realidade, todos nós temos dificuldades nessa área e precisamos saber que isso dá trabalho e precisa ser intencional. É como uma dieta: você tem que fazer a sua parte, evitar comer algumas coisas, fazer exercícios etc. Relacionamentos precisam ser trabalhados, e a comunicação é um ponto-chave para fazer tudo isso andar bem. É preciso também entender que, à medida que duas pessoas se relacionam, surgirão obstáculos. Como seres humanos, herdeiros da Queda, somos imperfeitos e temos dificuldades de levar nossa vida alinhada com o propósito de Deus. Quando duas vidas se unem, com panos de fundo diferentes na maioria das áreas da vida, e passam a viver juntas no mesmo local onde deverão sair de seus mundos e compartilhar sua vida e percepção de vida com outra pessoa. Vai dar trabalho, muito trabalho.

Por isso, afirmamos que relacionamentos saudáveis necessitam de uma comunicação também saudável para seguirem abençoados e abençoando. Comunicação saudável não consiste nas banalidades ou na superficialidade da vida. Um casal que se comunica no nível superficial fala apenas sobre como foi o dia, sobre o ambiente de trabalho etc. Essas coisas devem vir à tona em algum momento, mas estamos falando aqui de coisas que de fato importam e que ajudarão esse relacionamento a perdurar. Lembre-se de que já dissemos que as duas partes precisam se comunicar, falar e responder, para que haja comunicação.

Um caso de certa forma comum em falta de comunicação nos relacionamentos é quando alguém que deveria estar ouvindo o que você diz está apenas esperando, sôfrego, você acabar para emitir também suas posições. Provavelmente, essa pessoa que deveria estar ouvindo a sua palavra está se preparando para defender a opinião dela e não prestará atenção a nada mais do que você diz; ela está apenas esperando você parar de falar para dizer algo diferente e, às vezes, sem nenhuma relação com o que você estava dizendo.

Comunicação saudável que irá abençoar uma relação e ajudá-la a perdurar é aquela de duas mãos, em que se fala e se ouve. Quando desenvolvemos um tipo de comportamento diferente disso, prejudicamos a boa comunicação; na realidade estamos comunicando algo no sentido contrário, dizendo que aquilo que o outro está falando não é do nosso interesse. Atitudes como esta colaboram constantemente para prejudicar a relação, tornando-a cáustica e conflitante. Ela é mais uma maneira de autossabotarmos nossos relacionamentos.

A sabotagem pelo desconhecimento da linguagem do amor do outro

Temos dito aqui que relacionamentos requerem diálogo, mas como dialogar sem entender a linguagem do amor do outro? Pois bem, outra maneira de sabotarmos os nossos relacionamentos é o não conhecimento da linguagem do amor de nosso cônjuge.

Segundo Gary Chapman, e eu concordo com ele, todos nós temos uma linguagem que, de alguma forma, comunica o nosso amor pelo nosso cônjuge ou não. Como em todo diálogo, o diálogo do amor tem duas vias: aquela que emite a informação e aquela que a recebe. Ainda segundo Gary Chapman, em seu *best-seller As cinco linguagens do amor*,[33] todos nós entendemos e comunicamos amor por uma dessas cinco linguagens: presentes, toque físico, palavras de afirmação, atos de serviço e tempo de qualidade. Ora, se entendemos o amor por essas linguagens, precisamos identificar a nossa linguagem e, muito especialmente, a linguagem de amor de nosso cônjuge. Caso contrário, por mais que "falemos", se não estivermos falando na linguagem do outro, não conseguiremos que ele entenda a expressão do nosso amor.

No começo de meu relacionamento, ainda não sabia a linguagem de amor de minha esposa, e isso me custou sérios desentendimentos, alguns até engraçados, como, por exemplo, quando eu insistia em dar presentes a ela. Claro que ela gostava, mas não sentia que eu comunicava meu amor dessa forma. Somente depois que descobri que a sua linguagem eram palavras de afirmação e atos de serviço, pude dizer quanto eu a amava, enviando mensagens constantemente, dizendo centenas de vezes quão preciosa ela era para mim e, claro, lavando pratos e arrumando a casa com ela, sempre que possível.

O amor precisa ser comunicado e compreendido muito bem para que se solidifique. Um casal que não comunica amor está autossabotando seu relacionamento, porque em algum momento essa ausência de comunicação poderá comprometer toda a relação. Ninguém aguenta estar por muito tempo junto sem se sentir amado. O antídoto para esse tipo de autossabotagem é conhecer a linguagem do outro e passar a falar essa linguagem. A princípio, pode parecer algo desnecessário, especialmente se essa não for a

---

[3]CHAPMAN, Gary. *As 5 linguagens do amor*. 2. ed. São Paulo: Editora Mundo Cristão, 2013.

sua linguagem, pois para você ela não comunicará muita coisa, mas insista nisso, e você verá o seu relacionamento mudar da água para o vinho. Uma relação que tem a comunicação assertiva e que preencha a necessidade do outro tem tudo para dar certo.

Caso contrário, você nunca conhecerá a estratégia de amor do outro e terá grandes dificuldades de fazê-lo feliz. Mas antes deixe-me dizer algo muito importante. Eu imagino que seu objetivo no relacionamento é fazer o outro feliz, certo? Espero que sua resposta seja sim, senão tudo será muito mais difícil. Assim, imagino que, se você soubesse a mais eficaz maneira de fazer o outro feliz, daria tudo para fazer isso. Estou certo? Muito bem, então preste atenção nisso: conhecer a linguagem do amor de seu cônjuge vai facilitar esse entendimento e evitar que você sabote o seu próprio relacionamento, que você tanto valoriza e deseja manter.

Meu conselho nesse caso e que serve de antídoto para a autossabotagem é que você desenvolva uma relação aberta desde o início e, assim, procure identificar a linguagem do amor de seu cônjuge. Você faz isso conversando mais, observando mais, valorizando mais aquilo que você percebe que ele valoriza. Também é bom ler a respeito e descobrir isso tudo juntos, pois essa descoberta é libertadora. Ninguém se entenderá se um falar inglês e o outro, grego, se nenhum dos dois falar a língua do outro, não é verdade? E, se forem ainda namorados, melhor, pois esse investimento estará sendo feito na base da relação e ajudará muito no seu crescimento. Assim, se a armadilha que, pelo desconhecimento de como comunicar o amor, estava sendo armada, será desmontada. Deus abençoe essa decisão de vocês.

A sabotagem pelo mito do par perfeito

Li ou escutei algo que consegui gravar, talvez por se tratar de um fato e também de algo engraçado: "Pares perfeitos só se encontram em luvas e meias". Muitas pessoas deixam de desfrutar de um relacionamento saudável porque, de alguma forma, foram envolvidas pelo "mito do par perfeito". É importante você saber que ele existe e pode sabotar seus planos caso você se permita envolver com ele. Conheci pessoas que se deixaram envolver com isso e tiveram sua vida amorosa sabotada por elas mesmas e por suas escolhas. Mais uma vez, surge a pergunta: isso é feito de forma consciente? Não, claro que não. Essas pessoas de fato creem que existe alguém que como luva se encaixa em suas mãos, que a outra pessoa perfeitamente se encaixará em sua vida. Deixe-me adiantar algo aqui: isso somente o prejudicará.

Mas, atente bem, isso não quer dizer que temos de nos relacionar com qualquer um(a) porque todos somos imperfeitos. Saiba que existem os imperfeitos que nós podemos amar, e este é o motivo dos relacionamentos: o amor, e não a perfeição. Nesta seção, quero partilhar alguns *insights* que talvez ajudem você nessa área de possível sabotagem de seus relacionamentos.

Um dos aspectos de quem se envolve com esse mito é crer que seu parceiro ou parceira ideal será aquele ou aquela que pensa e age exatamente como ele age ou deseja que aja. Pelo que tenho percebido na minha experiência como pastor e conselheiro, os cônjuges brigam na maioria das vezes porque querem que prevaleça sua maneira de pensar e que o outro aja da maneira que ele agiria. Quando as diferenças em seus valores ou seus hábitos se acirram, o desentendimento se aproxima. Antes de tudo, permita-me uma observação, que creio, pode ajudar no desenvolvimento de uma linha de raciocínio que leve a um melhor entendimento entre as partes de um relacionamento.

É importante, sim, que nas principais linhas de entendimento, visão de mundo, fé e, assim, nos tópicos mais importantes e de fato relevantes da vida haja um entendimento claro antes de serem dados passos mais sérios, como, por exemplo, a decisão de um casamento. Relacionamentos nesses níveis precisam ser entendidos como carentes de algumas linhas mestras em comum. Gosto da definição que diz, por exemplo, que um casamento é um projeto comum de vida. Para que isso dê certo, existem algumas "crenças", ou se preferir "valores", que necessitam ter uma linha comum.

Gosto de dizer que isso não significa que médicos, dentistas, engenheiros, advogados deveriam se casar com os pares que se encaixem perfeitamente em sua linha profissional, claro que não. Sua profissão não é você, senão uma atividade que você desenvolve, e, ouça-me bem, não deve ser assim. Quando a simbiose da pessoa com a profissão acontece, alguém nesse entorno sairá prejudicado. Um casal formado por um médico e uma dona de casa pode ter aspirações profissionais bem diferentes e ao mesmo tempo um projeto comum de vida.

Projeto comum de vida tem a ver muito mais com a nossa cosmovisão do que com as minúcias do que fazemos. Por exemplo, se o médico e a dona de casa têm a mesma fé e acreditam que podem mudar o mundo por meio dela, ele vai usar a medicina para isso, sendo o melhor médico possível, fazendo missões médicas, tendo um tempo para atender pessoas carentes; e ela poderia ser uma excelente mãe, que ensina seus filhos a serem pessoas corretas, passar-lhes os valores que ambos creem ser os melhores, atuar em uma ONG ou igreja e servir ao próximo com intensidade, promovendo a melhoria de vida de muitos. Dessa forma, ambos com suas crenças e valores se associam em um projeto comum.

É muito importante não esquecer que em um relacionamento o "nós" e o "nosso" devem prevalecer sobre o "eu" e o "meu"; contudo, sempre continuará existindo espaço para o "eu" e o "meu", pois, por mais que haja uma clareza do projeto comum, haverá sempre um indivíduo do outro lado. O termo "indivíduo" tem a ver com a individualidade, e todos nós temos alguma individualidade, e precisamos dela. O que fazer para não permitir aqui uma autossabotagem pelo mito da pessoa perfeita? Preste atenção: permita que o outro tenha sua individualidade, promova o espaço dessa individualidade. Ele(a) precisa ter suas próprias opiniões e o direito de expressá-las onde e quando quiser, desde que isso não venha a "fraturar" a base comum desse relacionamento, aqueles valores e crenças comuns, e onde existe uma convergência de ideias e princípios.

Aqui é onde entra o aspecto da complementação um do outro, tão importante em um relacionamento. Quando a ideia de uma das partes é prevalecer, a autossabotagem está a caminho, e estaremos minando as bases, as colunas dessa relação. Como já mencionei, convivi com minha querida esposa por longos e abençoados 36 anos. Sua ausência, tão recente, deixa um vácuo gigante na minha vida. Sabe por quê? O que você sugere? Deixe-me responder, pois é muito simples: porque nós nos complementávamos. Nenhum de nós nunca foi o par perfeito no sentido de sermos as pessoas perfeitas. Tornamo-nos o "par perfeito", pelo menos assim penso, porque nossas diferenças foram mitigadas e decidimos que podíamos nos completar.

Não tínhamos o mesmo gosto em muitas coisas. Mas todas elas eram aspectos periféricos. Nosso projeto comum de vida era bem estabelecido, e não abríamos mão dele por nada. Se não for assim, se não houver complementação e se não for aberto espaço para que o outro se expresse e viva suas particularidades, haverá uma grande possibilidade de a tentativa de manipulação acontecer. Talvez você diga que "nunca vai manipular seu parceiro ou sua parceira, e eu acredito que conscientemente isso dificilmente acontecerá, mas a maioria de nossas armadilhas de autossabotagem acontece de maneira inconsciente, como temos visto. Celebrem as diferenças um do outro e mitiguem os efeitos negativos delas; isso lhes fará bem. Assim, vocês poderão formar o par perfeito que se forma com duas pessoas imperfeitas, com um projeto comum de vida e com diferenças que se completam.

Enquanto escrevo estas linhas, estou a bordo de um voo internacional a caminho de uma conferência onde falarei. Aqui abriu-se mais uma inspiração que considero uma janela da alma, que nada mais é do que algum episódio da vida que me mostra uma lição em algo que estou trabalhando. Acabei de assistir a um filme que me parece há muito havia assistido. Não ria de mim, pois isso me acontece com frequência, quando, bem no final, concluo: "Acho que já vi este filme". Mas creio que, se assisti a ele, não percebi a lição que agora, sim, enxerguei.

O filme intitula-se *Two Weeks Notice*, e a tradução em português desse título, não me pergunte a razão, ficou "Amor à segunda vista", estrelado pela excelente dupla de atores Sandra Bullock e Hugh Grant. Eu o chamaria de uma comédia da vida real. Uma advogada graduada em Harvard, uma militante das causas urbanas de luta contra as demolições dos edifícios antigos de Nova York, e um milionário exatamente do ramo das construções a partir das demolições desses edifícios. Depois de uma história hilária com base em um excelente e bem-humorado diálogo, as imensas diferenças ideológicas entre essas duas pessoas, a aparente e gigante incompatibilidade de "gênios", o que forma um par extremamente imperfeito, se convertem em uma história de amor real pela compreensão da perspectiva um do outro e a negação daquilo que, não sendo essencial, pode ser descartado.

Pares perfeitos são formados por pessoas imperfeitas que, compreendendo suas imperfeições, aguçam sua capacidade de compreensão. Por isso, a busca do par perfeito é uma das maneiras mais comuns de sabotar um relacionamento que, em muitos casos, nem sequer teve início.

Esteja atento aos avisos da autossabotagem

O processo de autossabotagem, como temos visto, pode ser bem sutil, e na maioria das vezes é algo inconsciente. Ele nos envolve de tal maneira que, mesmo cavando valas para nós mesmos cairmos dentro delas, continuamos fazendo isso até que tudo venha a ruir. Mas existem alguns avisos que, se atentos percebermos, poderemos antecipar o pior e nos livrarmos dessa armadilha. Portanto, antes de dar meu conselho, apresento alguns sinais que podemos perceber quando a autossabotagem se aproxima de nós.

Como a autossabotagem é sempre descrita como um conjunto de sentimentos e pensamentos negativos resultantes de um comportamento destrutivo, ou seja, aquele momento em que queremos fazer algo, mas nossas ações seguem na direção oposta e negam aquilo que desejamos, esses momentos podem emitir sinais que, se estivermos atentos, poderemos identificar e, assim, "sabotar a autossabotagem". Parece engraçado, não? Mas é isso mesmo que precisamos fazer, anteciparmo-nos a ela e dominá-la por completo. Então, deixe-me dizer algo aqui. Esteja atento ao seu comportamento. Ao perceber que existem atitudes que estão comprometendo sua vida de maneira geral, o ambiente familiar, sua saúde, sua carreira profissional ou sua espiritualidade, a luz amarela acendeu e toda atenção é necessária aqui. Uma das melhores dicas para frear esse processo será sempre conhecer seu potencial, saber de fato do que você é capaz e, especialmente, que você tem uma relação com o Criador do universo, que tudo criou para ser perfeito, e que toda imperfeição pode ser restaurada nEle. Seguem três avisos de que a autossabotagem está em curso:

Aviso nº **1** – A constante presença de pensamentos negativos

Podemos considerar normal que eventualmente sejamos tomados por um pensamento negativo, especialmente em meio a alguma circunstância difícil e desafiadora. Mas não é normal que, diante da maioria das circunstâncias e situações que nos envolvamos na vida, tenhamos sempre uma visão negativa. Pode ser considerado um olhar pessimista, mas creio que seja ainda mais do que isso, algo que de fato nos impede de agir, que tem um efeito paralisante e nos deixa prostrados. Já me encontrei diante de muitas situações assim, em que um grande desafio estava em minhas mãos e aí veio a dúvida que, se não fosse dissipada, seria um pensamento negativo alimentado.

Quando fomos ver o local que estava sendo oferecido para iniciarmos a igreja da qual sou pastor, percebemos o grande desafio. Tínhamos inicialmente um grupo pequeno, o valor era alto, e ainda haveria necessidade de uma grande reforma naquele espaço. De um lado, havia entusiasmo por parte do grupo e eu estava animado, mas, de outro, também eu estava preocupado com o desafio de tornar aquilo realidade. Estava em minhas mãos a decisão. Em dado momento, alguém me chamou ao lado e disse: "Pastor, o senhor não está pensando em aceitar essa proposta, está? Isso vai ser muito difícil". Aquilo poderia alimentar o lado negativo de meu pensamento, e simplesmente me convenceria a recusar a proposta.

Mas ali mesmo eu reagi. Mencionei que Deus estava nos entregando aquele lugar (confiança), que Ele havia falado ao grupo pela Palavra havia pouco (direção de Deus) e que havíamos orado e a resposta era positiva (entrega a Deus). Assim, rejeitei aquela palavra negativa e segui adiante. Ali eu derrubei de fato a estratégia da autossabotagem pela raiz, não permitindo que ela crescesse e se assenhoreasse de meus sentimentos. Se tivesse me inclinado àquela tendência negativa, teria sabotado todo um plano de Deus e Sua ação. Como já dissemos, hoje o prédio pertence à igreja, e esta se transformou em uma comunidade abençoadora de muitas vidas.

Identifique se os pensamentos negativos dominam sua mente, se seu primeiro olhar para os fatos é sempre ou na maioria das vezes nesse sentido negativo. Em caso positivo, é possível que a autossabotagem esteja rondando a sua vida. Feche as brechas e não permita que ela prospere, confie em Deus e entregue a Ele suas decisões, e Ele ajudará você em seus desafios. Transcrevo a seguir um salmo que pode ajudar nesse sentido. Considero-o um antídoto para o pensamento negativo.

> *Não se aborreça por causa dos homens maus e não tenha inveja dos perversos; pois como o capim logo secarão, como a relva verde logo murcharão. CONFIE NO SENHOR e faça o bem; assim você habitará na terra e desfrutará segurança. DELEITE-SE NO SENHOR, e ele atenderá aos desejos do seu coração. ENTREGUE O SEU CAMINHO AO SENHOR; confie nele, e ele agirá: ele deixará claro como a alvorada que você é justo, e como o sol do meio-dia que você é inocente. DESCANSE NO SENHOR e aguarde por ele com paciência; não se aborreça com o sucesso dos outros, nem com aqueles que maquinam o mal (Sl 37.1-7 – grifos do autor).*

Um velho amigo se referia a esse texto como "comprimidos diários para combater a visão negativa das coisas e fatos".

Aviso n° 2 – "Ah, se eu..."

Na sua rotina de vida, você ouve muita gente usar a expressão "Ah, se eu...". Pois bem, esse pode ser um aviso de que existe uma autossabotagem rondando a vida delas. Por favor, não confunda com uma "simples" expressão de arrependimento. A atitude de se arrepender deve ser vista como uma virtude do ser humano, e nunca como uma fragilidade. Todos nós temos momentos de arrependimento, especialmente daquilo que fizemos e não foi da vontade de Deus, o que, em um sentido mais amplo, chamamos de pecado.

Aqui estamos tratando de outro tipo de sentimento que eu nem sequer comparo com um verdadeiro arrependimento. Creio que estamos falando muito mais de lamúrias que têm mais a ver com "remorso", e isso é a mesma coisa que arrependimento. Quem se arrepende, toma uma direção oposta, segue na direção contrária em que estava seguindo. Quem constantemente se queixa ou se lamenta, vive disso e é como se isso, de alguma forma, lhe trouxesse consolo e certa satisfação. Quem se queixa, exige talvez que algo seja feito, mas não por essa pessoa; ela transfere a culpa, no caso aqui, para outra pessoa não existente, e isso, de certa forma, traz um consolo. Mas não há mudança de atitude. Isso pode perdurar por muito tempo; por isso mesmo, por não levar a uma atitude prática, essa pessoa está na direção de sabotar a própria vida.

Quero que você leia esta definição de arrependimento:[44]

> **Arrependimento** é uma reação emocional para atos passados pessoais e comportamentais. Arrependimento é muitas vezes expressado pelo termo "desculpa". A palavra "arrependimento" é de origem grega e significa conversão, mudança de direção e mudança de mente; mudança de atitudes, temperamentos; caráter trabalhado e evoluído. Então arrependimento quer dizer mudança de atitude, ou seja, atitude contrária, ou oposta, àquela tomada anteriormente.

4Disponível em: <https://educalingo.com/pt/dic-pt/arrependimento>. Acesso em: 05.08.2019.

Diferentemente do remorso, em que a pessoa que o sofre não se sensibilizou verdadeiramente do mal que possa haver causado a outros, e que, pensando apenas no próprio bem, é capaz até de infligir a si mesmo algum tipo de castigo apenas para tentar se esquivar de sofrer uma punição ainda mais severa por causa do erro que cometeu, o arrependido verdadeiramente percebe e se sensibiliza das consequências ruins que seus atos causaram para outras pessoas. Essa sensibilização à dor alheia leva o arrependido a uma tristeza verdadeira pelo dano sofrido pelos que prejudicou.

Se você leu com atenção, deve ter percebido que a pura definição da palavra não dá espaço à autossabotagem; ao contrário, o remorso é um sinal de proximidade da autossabotagem. Por isso, cuidado! Mude seu comportamento, aceite o que foi feito, mas dê uma direção às suas ações no futuro. Assim, você evita a autossabotagem, refazendo a linguagem do remorso e transformando-a em um antídoto contra a autossabotagem. Como fazer isso? Aqui vai um exemplo: a pessoa tomada de remorso vai dizer: "Ah, se eu tivesse me inscrito no concurso, poderia ter passado e estaria trabalhando hoje!" O arrependido dirá: "Ano passado, eu não me inscrevi no concurso, e isso me prejudicou, mas este ano eu vou me inscrever. Já preparei um lembrete para não me esquecer". Perceba a mudança do remorso para o arrependimento verdadeiro: uma atitude foi tomada e pode mudar o curso de toda a história, enquanto o remorso o manteria prostrado, sem nada fazer, e assim sem passar no concurso.

Transforme esse "Ah, se..." em um "Ah, agora sim... farei diferente". Uma atitude na direção da mudança pode transformar todo o seu futuro e evitar que a autossabotagem monte sua armadilha na sua vida.

Aviso n° 3 – Olhar muito no retrovisor

Esse é um claro sinal de que as coisas não estão bem e que existe algo no passado a que a pessoa está se apegando. Pois bem, atente para isso que vou dizer: o passado tem certa influência em nossa vida, mas não pode ser e não é um fator determinante. Olhar no retrovisor é uma expressão que usamos para dizer que temos olhado muito para o passado e, assim, estamos presos a ele. Primeiro, é importante dizer que não estamos presos a ele. Nós temos a memória, que pode nos ajudar e nos trair, nesse caso trai mais do que ajuda.

Os momentos felizes do passado servem como boa lembrança, mas não significam que são uma garantia de felicidade no presente ou no futuro, assim como os momentos ruins vividos também no passado não podem determinar que presente e futuro sejam da mesma forma ruins. Olhar para a frente significa que aprendemos com o passado e vamos seguir para o melhor, com atitudes diferentes. A Bíblia traz sabiamente alguns conselhos sobre isso, especialmente da vida de algumas pessoas que sabemos tiveram uma vida pregressa difícil.

Paulo, quando escreve aos Filipenses, diz:

> *Irmãos, não penso que eu mesmo já o tenha alcançado, mas uma coisa faço: esquecendo-me das coisas que ficaram para trás e avançando para as que estão adiante, prossigo para o alvo, a fim de ganhar o prêmio do chamado celestial de Deus em Cristo Jesus (3.13,14).*

Se Paulo tivesse se baseado em seu passado, estaria perdido, pois seu sofrimento pela causa da expansão do evangelho foi inominável. Mas ele olha para a frente cheio de esperança. É assim com esperança que a Bíblia nos recomenda viver.

> *Lembro-me da minha aflição e do meu delírio, da minha amargura e do meu pesar. Lembro-me bem disso tudo, e a minha alma desfalece dentro de mim. Todavia, lembro-me também do que pode dar-me esperança: Graças ao grande amor do SENHOR é que não somos consumidos, pois as suas misericórdias são inesgotáveis (Lm 3.19-22).*

Para deixar claro que nosso olhar deve ser para a frente, sem sermos reféns do passado, leiamos as palavras do próprio Jesus:

[...] *Ninguém que põe a mão no arado e olha para trás é apto para o reino de Deus* (Lc 9.62).

(Meu conselho)

Uma das coisas que Deus pode fazer em nossa vida é levar-nos a entender as nossas limitações, mediante a atitude de humildade, tão importante, e que seja parte de nosso dia a dia. Isso tem algo a ver com se olhar no espelho e, em vez de ver a maquiagem ou as máscaras que tanto usamos, conseguir enxergar os detalhes das rugas e as imperfeições de um ser incompleto e carente da graça e da misericórdia de Deus. Quando consigo me ver assim, estou na direção de compreender que o outro também, assim como eu, deve ter as suas limitações. A partir daí, se abre uma janela para o espírito de compreensão em meu interior.

Em um de seus mais conhecidos discursos, Jesus ensinou algo que pode ser a base de uma excelente convivência. Ele disse: *Felizes as pessoas que sabem que são espiritualmente pobres, pois o reino dos céus é delas* (Mt 5.3).

Essas palavras podem nos ajudar a entender a necessidade desse espírito de humildade, de reconhecimento da nossa fragilidade. "Espiritualmente pobre" não é alguém que tem uma espiritualidade, no sentido comum, comprometida, que para uns seria, por exemplo, aquela pessoa que não tem intimidade com Deus, não ora o suficiente, não tem uma vida devocional e não se envolve no ministério da igreja. Isso é, deveras, uma vida espiritual limitada, que pode trazer malefícios a qualquer cristão. Contudo, Jesus está dizendo aqui outra coisa. Ele está comparando o espírito de uma pessoa, o seu ser mais interior, o seu íntimo, que envolve suas emoções etc., com um pobre, alguém necessitado de ajuda e que, normalmente, nesse estado é levado a pedir ajuda.

Nesse mesmo discurso, um pouco mais adiante, Jesus fala do divórcio, e, por mais divergências de opiniões que existam a esse respeito, todos hão de concordar com uma coisa: o divórcio só acontece por causa da dureza do nosso coração.

E eles disseram: Moisés permitiu escrever carta de divórcio e repudiar. E Jesus, respondendo, disse-lhes: Pela dureza dos vossos corações vos deixou ele escrito esse mandamento (Mc 10.4,5).

Sim. Por quê? Ora, porque o plano perfeito de Deus não é que nos separemos. Isso acontece por conta de nossas grandes limitações em viver o propósito de Deus para nossa vida e os relacionamentos dentro desse propósito maior de Deus. A família é a joia do plano de Deus para um mundo abençoado. Busque viver dentro daquilo que Jesus nos ensinou, coloque em prática no seu relacionamento as atitudes sugeridas por Ele, como, por exemplo, a humildade e o reconhecimento das suas limitações e do outro. Dessa forma, você pode estar constituindo uma base mais sólida para o seu relacionamento e a armadilha da autossabotagem não será montada com facilidade.

Sabotando um propósito maior

*Todas as graças da mente e do coração
escapam quando o propósito não é firme.*
WILLIAM SHAKESPEARE

Diante de tudo na vida, existe algo que pode nos consumir, drenar as nossas forças e se tornar a estrela-guia de uma existência. Algo que domina nosso ser e tem autoridade sobre nossos desejos. O nome disso é *propósito*. Uma vida sem propósito é um barco à deriva, que não sabe para onde vai e que aonde chegar pode festejar, porque nunca soube para onde ia. Mas todos nós temos um propósito na vida, e nossa existência tem como finalidade o cumprimento de um propósito. Jamais eu creria em um Deus que criasse suas criaturas tão somente para fazê-las existir.

Ao entendermos que Deus nos criou para um propósito, a nossa luta será sempre descobrir esse propósito e procurar cumpri-lo, realizando a nossa missão e o plano de Deus. Vimos que Deus nos chama e usa a nossa vocação para cumprir Seu propósito. Vimos também como sabotamos esse chamado em nossa vida. Mas, quando sabotamos nosso chamado, estamos também pondo em risco ou sabotando o plano maior de Deus.

A história da salvação começa no céu, quando Satanás e seus anjos se rebelam, e a partir daí não leva apenas um terço dos anjos, mas busca levar toda a humanidade com ele. Desde que a criação seguiu essa rebelião dando ouvidos à serpente, nunca mais houve um dia de paz entre a criação de Deus. Mas Deus arquiteta todo um plano para resgatar essa humanidade, algo muito bem elaborado, em que o tempo é relativo e a espera pode durar um ou mil anos, porque a perspectiva aqui é de Deus, e não nossa.

Os profetas foram homens, e em alguns casos mulheres, escolhidos por Deus a dedo para trazer sua mensagem de resgate da relação *Deus–ser humano*. Você pode considerar algo vago, mas, se olhar com atenção, verá quanto esses profetas, verdadeiros arautos de Deus, procuraram transmitir o bom conselho divino para a humanidade por meio de Israel, modelo de nação escolhida por Deus para essa tarefa. Eles foram usados por Deus para esse "propósito maior", que é o resgate da criação, a volta dos "filhos pródigos" ao Pai. A história da salvação é justamente a narrativa de todas essas tentativas divinas de restabelecer essa relação perdida no Éden e que assim permaneceu por muito tempo. Todo esforço divino se concentrou em tentar mostrar à humanidade Seu amor e Seu desejo de vê-la redimida, de volta ao convívio pacífico e harmonioso, que era Seu plano desde o início de tudo.

Esses homens e mulheres, profetas e profetisas de Deus, desenvolveram um ministério incansável, chamando a atenção de todos e procurando apontar o caminho para se viver dentro e debaixo da bênção de Deus. Mas, convenhamos, nem sempre ou na maioria das vezes não era uma tarefa fácil. A rebeldia era intensa, e a influência maligna bastante presente, o que cegava os olhos do povo e tapava seus ouvidos para a palavra de Deus veiculada por esses arautos. Em muitos casos, esse ofício carregava um alto risco, pois apontar os erros de reis e de líderes poderia lhes custar a própria vida. O profeta não "comia nas mãos dos reis"; ao contrário, lhes apontava os equívocos e mostrava por onde eles deveriam seguir. Você pode imaginar que esse ofício requeria desses homens e mulheres coragem, determinação, senso de propósito e de missão e uma vida de intimidade com Deus que os fizessem perceber com clareza para onde apontar quando Deus dissesse algo.

Por essas razões, algumas vezes esses mesmos homens escolhidos por Deus fraquejaram. Eles sentiram o peso do ministério, o fardo da responsabilidade, e em alguns casos tentaram sabotar o plano maior e o propósito maior de Deus. Consideraremos alguns desses casos e depois tentaremos trazê-los para a nossa realidade, procurando enxergar o que os levou a isso e, ainda, identificar aonde comportamentos semelhantes podem nos levar a também sabotar um plano maior de Deus, um propósito nobre do Senhor, em nossa vidas ou por meio dela.

Jonas — sabotado pela fuga do chamado

A história da salvação, desde a Criação até o livro de Apocalipse, nos mostra, em diferentes episódios, que Deus saiu em busca de resgatar a humanidade decaída que voluntariamente se afastou dEle, escolhendo seguir de acordo com seu próprio entendimento. Essa escolha, é fácil perceber, levou o ser humano a experimentar uma vida que não era o plano inicial de Deus. A expulsão do Éden foi o início desse processo de independência, e todo o Antigo Testamento nos mostra a intensa busca de Deus pela humanidade decaída, formulando aquilo que chamamos de plano de Deus para a salvação. Esse plano é o propósito maior de Deus, que em muitos casos sofreu tentativas de ser sabotado por diferentes pessoas, homens chamados diretamente por Deus para colaborar com Ele nesse resgate.

Jonas foi um desses. Nos quatro capítulos do pequeno livro que narra a história de seu chamado, é possível enxergar um clássico caso de autossabotagem que implica a sabotagem de um propósito maior. Lembre-se de que Jonas era um profeta escolhido, que foi chamado para uma missão e que tinha total consciência do que aquele chamado representava para Deus: salvar uma grande cidade, que estava inteiramente perdida. Ora, Jonas como profeta, sabia de sua missão e da importância dela para o plano de Deus, mas isso não foi suficiente para persuadi-lo. É possível inferir algumas coisas da história. Primeiro, Deus tinha urgência em alcançar Nínive. Jonas 1.1,2 diz:

> *A palavra do SENHOR veio a Jonas, filho de Amitai, com esta ordem: "Vá depressa à grande cidade de Nínive e pregue contra ela, porque a sua maldade subiu até a minha presença".*

Vá depressa pode mostrar essa urgência de Deus. Esse povo estava se perdendo, pervertendo-se, e o pecado crescia, a ponto de "chegar à presença de Deus sua maldade". Isso mostra também que nosso pecado causa incômodo a Deus, o que reflete Seu amor e preocupação. O propósito maior de Deus é salvar, livrar do mal, e Ele fará todo o esforço para trazer sua criação de volta a Ele. Mas, enquanto o pecado afastou, o livre-arbítrio dá ao homem a capacidade de escolha, e a partir daí o propósito maior precisa ser de alguma forma conquistado por Deus.

Do outro lado, está o profeta, cujo ofício é ser o arauto e transmitir o propósito de Deus aos seres humanos, de acordo com o plano maior do Senhor. Mas, como cada ser humano, os profetas também estão sujeitos às suas vontades e tendências, estão sujeitos às paixões e aos desejos do coração, e, em qualquer momento de fraqueza, no qual a sua vontade se sobreponha à de Deus, todo o plano fica sob risco. É exatamente isso que ocorre nesse episódio na vida de Jonas. O profeta calou, e o homem falou mais alto. Vejamos a sua resposta imediata ao primeiro chamado de Deus:

> *Mas Jonas fugiu da presença do SENHOR, dirigindo-se para Társis. Desceu à cidade de Jope, onde encontrou um navio que se destinava àquele porto. Depois de pagar a passagem, embarcou para Társis, para fugir do SENHOR* (Jn 1.3).

Chama a atenção a pronta resposta negativa de Jonas, e isso pode nos levar a inferir que ele teria alguma reserva pessoal em relação aos ninivitas ou que estava em discordância com o plano de Deus para salvá-los. As duas possibilidades são graves e puseram o propósito maior de Deus em risco. Pela narrativa da história, percebemos que, de uma maneira ou de outra, Jonas estava pondo em risco um plano maior, um propósito maior de Deus. Claro que esse propósito seria realizado por sua intermediação como profeta, e este era o seu ministério: declarar os oráculos de Deus. A linha divisória do oráculo e da vontade pessoal do profeta é muito tênue. Um deslize, uma falta de atenção à voz de Deus ou mesmo uma compreensão equivocada pode pôr tudo a perder. Contraste isso com a vida de tantos outros profetas que, mesmo se sentindo inicialmente incapazes, confiaram em Deus e levaram a Sua palavra diretamente ao coração de reis e de povos, sempre atendendo ao chamado de Deus, da maneira que lhes fora ordenado. O caso de Jonas pode ser compreendido como o de alguém que estava montando armadilhas para si mesmo, pois, seguindo seus impulsos, comprometeria seu ministério profético, caindo em descrédito diante de Deus e de todo o povo, algo que um profeta jamais pode deixar que aconteça.

Podemos aprender com Jonas e não seguir seu exemplo. Temos visto aqui que Deus tem um chamado para cada ser humano que Ele, por Sua vontade, colocou neste planeta. Muitos que não se renderam a Ele dificilmente ouvirão esse chamado, pois, pela dificuldade de entender a Sua voz, serão sempre surdos ao Seu clamor. Mas aqueles que entregaram a vida a Deus e se colocaram debaixo de Sua autoridade, influência e direção podem e devem "decodificar" essa vontade e ser colaboradores no que concerne a realizar o plano de Deus neste mundo. Temos que desenvolver, pela intimidade com Deus, uma relação que nos permita conhecer com clareza a Sua vontade. Deus dá sinais claros de Seus planos, mas nós nem sempre os compreendemos. Deus abre ou fecha portas, e nós, pelo grau de intimidade com Ele, devemos entrar ou não por elas e entendermos também o porquê de elas eventualmente se fecharem.

Considere o fato de que a sua vontade não entra nessa "equação"; somos arautos, mensageiros, nada mais. Somos apenas os meios pelos quais Deus realiza Sua obra neste mundo. Se Deus lhe deu um ministério e você identificou claramente isso, sua função não pode ir além de realizar essa tarefa, nem discutir a viabilidade ou não dela. A vontade de Deus é suprema e soberana. Dito isso, volte a considerar o profeta Jonas e observe que foi exatamente isso que ele fez. Ele estava tentando sabotar o plano maior de Deus, que era resgatar aquela cidade inteira. Esse era um propósito de Deus, maior do que a vontade e as ideias de Jonas, que precisava ser compreendido por ele, para que tudo saísse a contento naquela missão.

Uma das armadilhas em que facilmente caímos na autossabotagem são as nossas limitações. Do mesmo jeito que todos têm um chamado, é importante dizer que todos têm suas limitações, e às vezes uma limitação pode se tornar um grande empecilho para a realização da missão.

Tentando estudar um pouco o comportamento de Jonas, vejo que ele tinha como uma de suas limitações um temperamento colérico, iracundo ou raivoso. Esse tipo de temperamento pode afundar uma carreira, destruir um casamento, separar uma família, enfim, prejudicar a vida de muita gente, pois de alguma forma desenvolve a ira como rotina de resposta às situações em que se envolve. O colérico é precipitado, por isso pode pôr a perder tudo que ele tenta construir. Jonas, aparentemente, tinha esse comportamento e, assim, estava "procurando", mesmo que inconscientemente, sabotar o plano maior de Deus para todos os habitantes da cidade de Nínive. Não sabemos a razão desse comportamento em relação aos ninivitas, se era algo tão somente ligado a eles ou se era algo peculiar ao temperamento de Jonas, contudo isso não importa no nosso caso. Aqui cabe avaliar que um comportamento assim pode prejudicar a nossa vida e, consequentemente, o propósito maior de Deus.

Quando olho para a história de minha própria vida e procuro encontrar situações nas quais esse comportamento ou essa expressão de temperamento, mesmo que eventual, ocorreu, vejo que isso me trouxe prejuízos. No ambiente familiar de onde vim, no meu casamento, no lidar com meus filhos e no dia a dia de minha existência, todo comportamento colérico, iracundo, nervoso, impaciente, não me trouxe nada positivo. A precipitação pela ira ou insatisfação nos sabota, porque destrói a possibilidade de sucesso daquilo que estamos empreendendo. Tendemos a abortar as possibilidades de sucesso antes que elas tenham a chance de se mostrarem viáveis. O antídoto para essa limitação é o fruto do Espírito, que contém a porção necessária de domínio próprio. Este, quando desenvolvido no nosso caráter, nos protege dessa possibilidade de sabotarmos nossa vida. O controle do temperamento volátil evita as precipitações.

Evitamos a autossabotagem pelo comportamento intempestivo e precipitado quando vivemos uma maior intimidade com Deus por meio do Espírito Santo. Um clássico da literatura evangélica dos anos 1980 tem o título de *Temperamento controlado pelo Espírito*,[11] de Tim LaHaye. Nesse livro, o autor mostra a ação do Espírito de Deus nos ajudando a controlar nosso temperamento. Ele descreve Paulo como colérico e mostra por quê. Mas ao mesmo tempo descreve o apóstolo como alguém cheio do Espírito, que, mesmo tendo esse tipo de temperamento, não expressa mais os aspectos negativos e prejudiciais que poderiam sabotar todo o fantástico ministério do grande gigante de Deus.

Na realidade, Paulo transformou aquilo que um colérico e iracundo poderia ser em um fator de força e energia para o seu ministério. Perceba que, quando ele descreve seu temperamento, deixa claro que ele o está vencendo a cada dia. Considere esta declaração do apóstolo: *Mas esmurro o meu corpo e faço dele meu escravo, para que, depois de ter pregado aos outros, eu mesmo não venha a ser reprovado* (1Co 9.27).

Perceba a luta interior de um homem que venceu a sua limitação colérica e que poderia colocar tudo a perder, transformando esse fator limitante em um exemplo de superação:

Sei que nada de bom habita em mim, isto é, em minha carne. Porque tenho o desejo de fazer o que é bom, mas não consigo realizá-lo.

---

[1]LaHaye, Tim. *Temperamento controlado pelo Espírito*. 16. ed. São Paulo: Edições Loyola, 1991.

Pois o que faço não é o bem que desejo, mas o mal que não quero fazer, esse eu continuo fazendo. Ora, se faço o que não quero, já não sou eu quem o faz, mas o pecado que habita em mim. Assim, encontro esta lei que atua em mim: Quando quero fazer o bem, o mal está junto a mim. Pois, no íntimo do meu ser tenho prazer na lei de Deus; mas vejo outra lei atuando nos membros do meu corpo, guerreando contra a lei da minha mente, tornando-me prisioneiro da lei do pecado que atua em meus membros. Miserável homem que sou! Quem me libertará do corpo sujeito a esta morte? Graças a Deus por Jesus Cristo, nosso Senhor! De modo que, com a mente, eu próprio sou escravo da lei de Deus; mas, com a carne, da lei do pecado (Rm 7.18-25).

Não é essa uma luta comum a tantos de nós? Eu creio que por meio de um estudo mais detalhado, se tivéssemos mais recursos, poderíamos chegar à conclusão de que Jonas tinha um temperamento semelhante ao de Paulo. Posso enxergar Paulo, diante de Nínive, questionando Deus sobre salvar aquele povo impenitente, mas esse seria o Paulo antes de Damasco, antes de ser cheio do Espírito de Deus, antes de testemunhar disso com sua própria vida e antes de concluir e ensinar sobre o fruto do Espírito em nós.

Talvez esse "velho homem" que um dia foi Paulo seja um de nós hoje que dialoga com estas páginas. Talvez esse seja um fator limitante que está promovendo uma autossabotagem ao plano maior de Deus por meio de sua vida. Vamos encerrar esta seção dizendo que você pode reavaliar tudo isso e tentar, com humildade e sinceridade, descobrir onde esse bloqueio se encontra. Não permita que esse fator limitante impeça a obra que Deus tem para você realizar. Pode ser algo grande ou pequeno aos nossos olhos, mas esse juízo de valor não nos cabe. Se Deus tem um propósito em sua vida, como tinha na vida de Jonas, que era salvar a população de uma cidade inteira, esse propósito é sempre grande e relevante, porque Ele o chamou para executá-lo, e a ninguém mais cabe fazê-lo, de modo que sabotá-lo é sabotar um grande plano de Deus.

Elias — sabotado pelas circunstâncias da vida

Já falamos um pouco aqui sobre a possibilidade de sabotarmos nossa própria vida por meio do medo, e essa é uma das maneiras mais comuns de autossabotagem. No entanto, existem diferentes maneiras de o medo entrar em nossa vida, sabotar nossos planos e, pior ainda, sabotar os planos que Deus tem para nós. O medo não é apenas imposto pelos nossos temores pessoais ou nossas construções imaginárias. A vida, não poucas vezes, nos impõe difíceis circunstâncias em que o receio de nos vermos envolvidos em situações desconfortáveis nos amedronta, levando-nos, muitas vezes, a recuar e a nos acovardar. Homens e mulheres que antes mostraram muita bravura e coragem se mostram acuados pelas circunstâncias e se revelam frágeis e até medrosos. A história do grande profeta Elias é uma dessas situações em que o medo domina os heróis. Esse grande homem de Deus, profeta aprovado e possuidor de uma exemplar bravura, foi alguém que por esse comportamento e ousadia baseados na confiança em Deus gera inspiração em muitas pessoas.

Mas onde estava Elias? Ele se encontrava nas ruas, cumprindo seu chamado de profeta, e o profeta precisa estar atento ao que está ocorrendo. Sem perceber o momento, não poderá profetizar a seu povo. Se quisermos ser arautos de Deus, devemos estar no meio do povo e perceber sua realidade. Assim era Elias. O capítulo 18 de 1Reis mostra a terrível perseguição empreendida por Jezabel, mulher do rei Acabe, contra os profetas do Senhor. Obadias saiu em uma direção, escondeu cem desses profetas, protegendo-os da tirana rainha, e no caminho encontra-se com Elias, o qual, por seu intermédio, envia um recado ao rei: *Vá dizer ao seu senhor: "Elias está aqui"*. Perceba a coragem desse profeta em meio a essa terrível perseguição. Elias não era um homem comum; era um gigante de Deus. Mas gigantes também tropeçam, e vamos ver como suas circunstâncias de vida e ministério o fizeram fugir de seu chamado.

Em quais circunstâncias Elias desenvolveu seu ministério profético? É importante saber por que muitas vezes estamos envolvidos em situações que julgamos excepcionais e usamos isso para dar a elas um valor maior do que de fato têm, abrindo espaço para a autossabotagem. Veja o contexto de Elias.

O país vivia uma realidade política em que a polarização partidária era uma realidade: *Então o povo de Israel dividiu-se em duas facções: metade apoiava Tibni, filho de Ginate, para fazê-lo rei, e a outra metade apoiava Onri* (1Rs 16.21).

Tempos de polarização são tempos difíceis, pois não há equilíbrio e a aceitação de uma posição intermediária, pois uma via média é considerada reacionária por ambos os lados. Elias viveu nesse tempo de ausência total de equilíbrio e razão.

Presença forte de maus governantes comprometia a segurança da nação: *Onri, porém, fez o que o SENHOR reprova e pecou mais do que todos os que reinaram antes dele* (1Rs 16.25).

Ao que parece, a ira de Deus estava sobre aquele povo e os seus líderes. O quadro não parecia ter sinais de mudanças, o que gerava um clima de desesperança geral. Com a morte de Onri, Acabe assume o poder e segue na mesma direção, na realidade ele supera Onri na má condução do povo de Israel. O casamento de Acabe com Jezabel é um arranjo político para a boa relação e o fortalecimento de laços entre Israel e a Fenícia. Essa união com uma adoradora de Baal introduziu e franqueou a adoração a esse deus em Samaria. Jezabel induz Acabe a agir com pulso forte em relação ao povo e se enfurece com aqueles que se opõem a ela na adoração a Baal. Esse era, portanto, um tempo difícil, no qual poucas bênçãos se percebiam em Israel. Juntando-se a tudo isso, havia uma economia ruim, uma crise ética e moral. Portanto, esse era, resumidamente, o cenário em que Elias iria desenvolver seu ministério.

Ora, qualquer pessoa que deseja viver dentro dos parâmetros de Deus, e assim exercer seu ministério, estará sujeita às circunstâncias e à força que elas têm sobre o desenvolvimento desse ministério. Agora pense comigo: o ministério de Elias era de profeta, exatamente aquele que levantava a voz em defesa de tudo aquilo que Deus prezava. O profeta era a voz de Deus aos povos e aos governantes. Ele deveria ter independência para valorizar os bons atos dos reis e líderes, ao mesmo tempo que deveria ser o prumo da verdade e da justiça e, assim, exortar esses mesmos governantes quando estivessem se afastando da vontade e do propósito de Deus. Diante desse quadro que apresentamos resumidamente, você pode avaliar a dificuldade que enfrentava um profeta nesses dias diante de um rei como Acabe e uma rainha como Jezabel. Sua vida corria constante risco.

A vida de Elias é, em parte, inspiração para qualquer servo de Deus. A coragem demonstrada por esse homem é um diferencial e uma necessidade para qualquer pessoa que deseja servir a Deus em tempos difíceis como os que temos vivido em nossos dias. É icônica a imagem desse gigante de Deus enfrentando os 450 profetas de Baal. O capítulo 19 de 1Reis mostra os detalhes desse embate e como o profeta, cheio do Espírito de Deus, mostrou sua coragem. Nas linhas dos textos que narram sua história, você vai encontrar quase um super-herói, um homem destemido que chega a fazer ironia dos seus adversários. Então, o que houve com ele no capítulo 19? A resposta é: medo promovido pelas circunstâncias da vida. Ao saber que Elias havia exterminado seus profetas, Jezabel começa uma campanha de perseguição ao profeta, o qual se enche de medo. Esse capítulo diz que, diante da ameaça de Jezabel, Elias "fugiu para salvar a sua própria vida", além de pedir para si a morte. No seu diálogo com Deus, ele expõe toda a sua angústia: *Tenho sido muito zeloso pelo SENHOR [...]. Sou o único que sobrou, e agora também estão procurando matar-me* (v. 10). Perceba que essa é uma conversa de desabafo. O gigante está acuado, com medo, conversando com o seu Deus e Senhor.

Os planos de Deus para a humanidade, um propósito maior, estavam também vinculados à vida e ao ministério de Elias. Assim, Deus vai em busca de resgatar esse importante profeta e se mostra a ele de diferentes maneiras. Deus mostra Seu cuidado e o chama perguntando: *O que você está fazendo aqui, Elias*?; como quem diz: "Aqui não é o seu lugar!"

Elias enfrentou tudo isso enquanto pôde, mas, a certa altura, o temor começou a tomar conta dele, e foi isso que o levou a fugir, escondendo-se de seus inimigos. Mas aqui alguém pode perguntar: "O que houve com Elias? Onde estava aquele gigante que desafiou o rei? Teria ele se esquecido de tudo que viveu com Deus?" Não, de forma alguma. Elias tinha consciência de sua missão, conhecia o seu Deus, lembrava-se bem de sua história recente, de suas grandes lutas em toda a história, e tinha total consciência de seu chamado, mas, mesmo assim, Elias montou uma armadilha de sabotagem de sua própria vida, do seu chamado e do propósito maior de Deus para aquele povo. Nesse sentido, o medo provocado pelas circunstâncias tomou conta dele e por pouco não o derrotou.

Na vida de qualquer pessoa, existem circunstâncias que podem nos levar a uma mudança de atitude. Tenho uma forte lembrança de um período em minha vida de muita indefinição ministerial. Um verdadeiro deserto pelo qual passei, em que cheguei a questionar meu chamado pastoral e por pouco não tomei decisões que provavelmente colocariam em xeque todos os planos de Deus para minha vida e ministério. Por muito tempo, minhas caminhadas pelas areias da praia eram como que meu consultório de terapia, e meu terapeuta era o próprio Deus, a quem eu questionava por tudo que eu estava atravessando naquele momento de minha existência. Mais uma vez, alguém pode perguntar: "Mas onde estava a sua relação com Deus, que pouco antes disso estava em alta e bem alinhada?" Deixe-me responder: estava tudo bem gravado em minha mente e bem claro para mim. Mas havia um temor do futuro que aquelas circunstâncias amplificaram.

Vou lhe dizer como quase montei uma armadilha para mim mesmo que me levaria a autossabotar os propósitos de Deus para minha vida. Na realidade, nesse momento de minha existência o futuro estava em jogo. Havia a possibilidade de desenvolver um ministério grande, uma igreja nova, mas que era um enorme desafio que se levantava, algo que de fato, aos olhos humanos, seria bem difícil. Entenda, minha convicção no poder de Deus não mudara, por isso mesmo tentei montar a armadilha. Eu temia que desse certo e sobre mim repousasse um enorme peso de responsabilidade. Passei a enxergar as situações mais difíceis como um sinal para dizer não, para não aceitar. Na realidade, tentava criar um ambiente no qual algo impedisse que aquela situação se concretizasse. Percebe o mecanismo de autossabotagem? A crença em Deus e no Seu poder não se extinguiu, estava presente, mas ela mesma me dizia que poderia dar certo e que as consequências seriam grandes e as responsabilidades também. Provavelmente, eu estava inconscientemente fugindo de assumi-las e me aproveitando das circunstâncias para justificar a minha negativa. Se me perguntassem naquele tempo se eu identificava isso, diria "claro que não" ou "isso é o que quero que aconteça", mas no fundo tinha temor e procurava evitar que se concretizasse.

Todos nós estamos sujeitos a circunstâncias difíceis em nossa vida. Isso não deveria ter nenhuma conexão com a nossa fé ou com a perda dela. Digo isso porque hoje enxergo com clareza quando me valho de alguns argumentos em razão de algumas circunstâncias que vivencio para justificar minha inércia e, assim gerar uma dificuldade para o plano caminhar bem. Se há temor em realizar uma tarefa, não pela impossibilidade de acontecer, mas pela realidade de que, se acontecer, não saberia "se daria conta do recado", o medo e a insegurança tomam conta de mim e saboto minhas melhores perspectivas.

Mas preste atenção: isso precisa ser algo racional. "Espiritualizar" será muito ruim e afastará você de todas as possibilidades de Deus. Pense em termos bem práticos. Um dia, você ouviu um chamado, em seguida foi ajudado a identificar esse chamado, depois o refinou, de modo que ficou bem clara a sua área específica de atuação e você se dedicou a exercitar esse chamado. Ora, lembre-se bem de que sempre foi muito claro para você como Deus estava atuando em sua vida e guiando cada passo. Estava também claro, por diferentes razões, que foi sempre Deus quem o conduziu em cada passo dessa sua caminhada cristã. Lembre-se de cada porta que se abriu, de cada obstáculo vencido, de cada luta e de cada vitória. Recorde-se também de que, em meio a algumas tempestades, Deus Se mostrou acalmando os ventos e lhe permitindo passar por elas incólume.

Ora, esse mesmo Deus está com você agora e tem a mesma intenção de continuar ao seu lado. As circunstâncias não podem e nem devem ser o parâmetro para avaliar a presença de Deus, tampouco devem ser motivo para que desistamos do projeto maior de Deus em nossa vida, da concretização do chamado que Ele tem para cada um de nós. Entenda: se foi Ele quem chamou, não somos nós que vamos dizer se podemos ou não realizar esse chamado. Desde cedo, entendi que, quando Deus chama, Ele se responsabiliza, e Sua responsabilidade é que me anima a acatar esse chamado e saber que ele pode se realizar. Entendi também que não é pela minha capacidade apenas, mesmo que haja alguma, mas pelo poder que Ele, o próprio Deus, tem e em sua resolução de usar a minha vida.

Se você continuar lendo a história de Elias, verá que ele venceu as circunstâncias, que eram muito difíceis, e voltou ao ofício de profeta, sendo porta-voz da palavra de Deus e orientando o povo em suas decisões. Ele voltou porque não permitiu que as circunstâncias ditassem o seu futuro, e isso me leva a crer que um antídoto para a autossabotagem será sempre crer que o Deus que chama é o mesmo Deus que capacita.

Pedro — sabotado pelo temperamento

Não poucas vezes, o nosso temperamento se torna um fator limitante em nossa vida. Isso pode ser percebido por outras pessoas e às vezes até por nós mesmos, e comumente, com muita dificuldade, enfrentamos uma grande batalha para superá-lo. É claro que cada um de nós tem fatores limitantes, e os que acham que não os possuem pensam assim porque a dificuldade de enxergar a própria vida é já, por assim dizer, um fator limitante. Busque na vida dos heróis da história deste mundo, e você encontrará em cada um deles esses fatores limitantes. A diferença é que eles se tornaram heróis provavelmente porque conseguiram superá-los.

O pastor e escritor John Maxwell, em um de seus *best-sellers* sobre liderança, escreve sobre as 21 irrefutáveis leis da liderança.[22] Em uma análise impecável, ele discorre sobre postulados que determinam o grau de eficácia da liderança de uma pessoa em qualquer área do conhecimento. Uma dessas leis é chamada por ele de "A Lei da Tampa". Na tentativa de resumir e expor o ponto que desejo abordar, essa lei trata dos aspectos diversos que podem estar bloqueando nosso sucesso em determinada área de nosso desenvolvimento. Por exemplo, determinada pessoa é uma profunda conhecedora da Bíblia e poderia ser usada para expor as Escrituras de uma maneira que poucos fariam de forma igual. No entanto, ela tem uma tampa que está pressionando para baixo a sua possível desenvoltura nessa área, que poderia ajudar tantas pessoas. Ela tem dificuldade de falar em público e, assim, não consegue fazer palestras, liderar seminários etc., em que o seu conhecimento poderia ser transferido e abençoar tanta gente. Existe uma "tampa" que impede esse desenvolvimento; a timidez é a sua tampa.

Essa pessoa tem duas possibilidades: a primeira, é responder dizendo não a todos os convites que surgirem, encontrando uma desculpa qualquer e se justificando todo o tempo, procurando convencer a si mesma de que ela não pode fazer isso porque é tímida. Assim, ela nunca terá a chance de se expor, protegendo-se de possíveis vexames que, segundo ela mesma, passaria caso aceitasse os convites. Mas Deus tem um propósito maior. Ele está em busca de verdadeiros adoradores, que O adorem em espírito e em verdade, que desejem servir e estar dispostos a vencer as barreiras, quaisquer que sejam, para que a Bíblia, Sua Palavra, seja exposta e mais pessoas possam vir a conhecer a verdade libertadora do evangelho. Você pode não ser um cristão nem crer que isso seja necessário, mas, racionalmente falando, ninguém pode negar que esse é o

---

[2]Maxwell, John C. *As 21 irrefutáveis leis da liderança*. São Paulo: Editora Plugme, 2008.

propósito maior de Deus. Contudo, a timidez está impedindo que esse propósito maior seja alcançado.

A segunda possibilidade é buscar vencer esse bloqueio e retirar essa tampa que está sabotando o desenvolvimento de seu possível e vitorioso ministério de expositor bíblico, além de estar também impedindo que o propósito maior de Deus se realize. Para vencer e "destampar" seu ministério, ela precisa entender primeiro que isso está sabotando a sua vida, a sua carreira e o propósito maior de Deus. Depois, faz-se necessário buscar ajuda profissional, aconselhamento e treinamentos com o objetivo de vencer essa limitação. Sabemos que isso é plenamente possível, porque temos visto pessoas que venceram semelhante limitação mediante a utilização desses recursos. Contudo, o mais importante: tal pessoa não sairá desse dilema, retirará essa tampa e vencerá essa limitação sem a confiança necessária em Deus de que esse é Seu propósito maior e que ela será usada dentro dele para abençoar muitas vidas.

Dito isso, é importante saber que existem inúmeros e talvez infindáveis tipos de tampas que bloqueiam nosso desenvolvimento e que podem estar sendo um fator limitante, inibidor, sabotando nossa vida. Uma dessas tampas está na área do temperamento. Pessoas de diferentes tipos de temperamento podem estar neste momento se autossabotando e, assim, sabotando o plano maior de Deus em e por meio de sua vida.

Na Bíblia, vejo um personagem típico nesse aspecto. Ele se chama Pedro, apóstolo de Cristo, gigante da fé, caracterizado por um temperamento pusilânime, de características sanguíneas. Um tipo de temperamento que põe em risco constantemente os planos de qualquer pessoa e também os planos de Deus. Quando Deus chamou a Pedro, Ele não o fez por acaso; Ele enxergou em Pedro a capacidade de levar a mensagem do evangelho adiante, de romper barreiras e expandir a igreja. Claro que foi por isso que Ele repreendeu o próprio Pedro naquele episódio em Cesareia de Filipe, registrado com detalhes no evangelho de Mateus. Pare um pouco esta leitura agora. Você precisa entrar nessa história primeiro para entender onde Pedro estava pondo em risco tudo e iniciando um processo de autossabotagem, com consequências de sabotar o plano maior de Deus. Leia o texto de Mateus 16.13-28. Por favor, leia e releia, e depois volte a esse ponto e continuaremos.

Então, você o leu? Conseguiu entrar nesse episódio? Não é muito difícil colocar-se dentro dessa situação e perceber os detalhes e as tentativas de autossabotagem que nela ocorrem. Quando Jesus faz essa pergunta: *Quem os outros dizem que o Filho do homem é?*, Ele está fazendo uma pergunta de certo modo retórica, pois já tem a resposta, mas tenta instruir os Seus discípulos a esse respeito. Perceba que eles respondem de acordo com a pergunta de Jesus. Eles respondem que uns dizem isso, que outros dizem aquilo. Mas, quando a pergunta é feita diretamente a eles sobre o que pessoalmente pensam, o que dizem? Pedro é o primeiro que sai com a resposta "na ponta da língua" e prontamente diz de fato quem Jesus era. Sua resposta está certíssima, por isso recebe o elogio de Jesus que de imediato diz que sobre essa afirmação do apóstolo Ele edificaria a Sua igreja. Pedro responde certo, Jesus apresenta o propósito maior, edificar sua igreja, e tudo parece ir bem, até que a "tampa" de Pedro vem à tona e seu temperamento instável e pusilânime se apresenta. Jesus tenta apresentar seu plano de ir a Jerusalém e procura revelar que as coisas não serão fáceis e diz que seria morto.

Atente para o fato de que esse é o plano maior de Deus que precisa ser executado com coragem e determinação pelo próprio Jesus. Mas a Palavra de Pedro não foi de conforto e força, de reforçar tal propósito; afinal de contas, Jesus estava dizendo isso, e não haveria o que ser contestado. Mas a "tampa" de Pedro se apresenta e veja o que ele faz: *Então Pedro, chamando-o à parte, começou a repreendê-lo, dizendo: "Nunca, Senhor! Isso nunca te acontecerá!"* (Mt 16.22). Observe que ele chama Jesus à parte e diz isso. E o que ele diz? Não senhor, o plano maior de Deus, o propósito maior de Deus não vai acontecer; em outras palavras, eu não vou permitir isso. Jesus, percebendo que o plano maior de Deus corria risco, parece ficar tenso e retruca a Pedro: ... *Para trás de mim, Satanás!*

Você é uma pedra de tropeço para mim, e não pensa nas coisas de Deus, mas nas dos homens (Mt 16.23).

Jesus enxergou em Pedro alguém que se permitiu abrir espaço para uma fraqueza pessoal, uma limitação, e essa limitação poria em risco todo o plano de Deus. Entendo que é por esse motivo que Ele afirma:

> ... Se *alguém quiser acompanhar-me, negue-se a si mesmo, tome a sua cruz e siga-me. Pois quem quiser salvar a sua vida, a perderá, mas quem perder a vida por minha causa, a encontrará* (Mt 16.24,25).

Negar a si mesmo pode abranger muitas coisas, mas aqui trata de negar nossas próprias ideias, convicções, limitações e permitir que Deus aja além delas e especialmente que nosso temperamento, quer sejamos impulsivos, como é o caso aqui, quer tímidos, não venha a impedir o propósito maior de Deus.

Agora, traga esse aspecto para a sua própria vida e procure perceber quanto o seu temperamento pode estar sabotando a sua própria vida e o plano maior de Deus por meio dela. Você se enxerga comunicando a mensagem do amor de Deus, mas não tem feito isso por conta de uma possível timidez? Além disso, você se surpreende dando sempre desculpas ligadas a essa recusa de falar desse amor transformador de Cristo, que o alcançou? Você sabe que tem muitos testemunhos e bons argumentos que ajudariam tantas pessoas? Perceba que você pode estar em um processo de autossabotagem. Deus quer e pode usar você, mas é você mesmo quem está dizendo: "Eu não posso, não consigo". Em vez disso, procure enxergar além de suas limitações e perceber quanto Deus usou homens e mulheres com as mesmas limitações que talvez você tenha para transmitir Sua mensagem com poder e eficácia.

Talvez sua limitação seja outra, mas continue sendo algo característico de seu temperamento, como a sua impulsividade e inconstância; afinal, são muitas as marcas de nosso temperamento que podem estar sendo "tampas" limitadoras do nosso crescimento, que assim impedem que sejamos usados por Deus. Negue a autos-sabotagem pela confiança em Deus e pelo exemplo de tantas vidas que, vivendo sob as mesmas pressões, lutaram, foram tratadas e as venceram. Quer um exemplo bíblico? Vamos então rapidamente olhar em quem esse mesmo Pedro se tornou. Não se esqueça, no entanto, de que outros episódios mostraram as marcas desse tem-peramento que montou tantas armadilhas quanto possíveis na vida desse gigante da fé. Lembre-se de que foi ele quem disse, com a mesma impulsividade, que nunca deixaria ou abandonaria Jesus naquele momento da ceia, para poucas horas depois negá-lo ao afirmar que não O conhecia.

Existe, porém, outro Pedro que surge após o dia de Pentecostes: um Pedro cheio de coragem que ousa levantar um aleijado pela palavra da fé; que se lança no pátio do templo ao lado do aleijado que havia sido curado, para anunciar a mensagem de Jesus; que é preso e insiste ante as palavras das autoridades de que seria solto sob a condição de não continuar pregando: "importa obedecer a Deus, e não aos homens"... Esse é o Pedro que por fim corajosa-mente sofre o martírio por não admitir a possibilidade de deixar de anunciar a mensagem da cruz, loucura para os homens, mas sabe-doria para Deus.

(Meu conselho)

Nossos impulsos e temperamento podem estar sabotando nossa vida e, acima de tudo, podem estar sabotando os propósitos de Deus. Permita-me após essa explanação lhe dizer que neste momento é bem provável que seu temperamento, sua insegurança, seu medo, seu desejo de fugir e se esconder de tudo e as próprias circuns-tâncias nas quais esteja envolvido podem estar sendo os maiores sabotadores de sua própria vida. Mas para nós, cristãos, a Palavra de Deus segue sendo nosso guia maior e fonte de inspiração. Ela con-tinua nos mostrando que em meio a todas essas dificuldades Deus está presente e pronto para nos ajudar. Mas, antes disso, precisamos fazer a nossa parte, e ela consiste em um olhar sincero e crítico para dentro de nós mesmos, buscando esse encontro frontal com a nossa realidade, nossos medos e dilemas, enfrentando e tratando cada um deles da maneira que se faça necessário. Isso pode incluir um processo terapêutico, com a ajuda de um profissional, o que precisa ser encarado com naturalidade. Pode ainda, e deve, envolver um processo de aconselhamento espiritual.

Apenas uma ressalva ao tipo de aconselhamento que você deve buscar: existe hoje um verdadeiro mercado de promessas de prosperidade e sucesso que incomoda as pessoas de bom senso. A "moda *coach*", como tenho chamado, promete todo sucesso com técnicas e ferramentas meramente humanas que põem em risco a espiritualidade equilibrada, pois o sucesso é prometido pelo viés da iniciativa e da força de vontade. Sabemos da importância desses elementos e nunca descartaríamos nenhum deles. Jesus testou a iniciativa dos discípulos quando os enviou em duplas numa obra missionária, bem como testou sua força de vontade e fé quando os mandou pescar onde não havia peixes. Não se exponha a nada e a ninguém que lhe prometa sucesso por esses vieses; é tudo efêmero e passageiro. O verdadeiro *coach* (treinador) é Aquele que, tendo toda a glória, renunciou a ela e Se fez servo.

Tudo isso compõe um todo que ajudará você a superar suas limitações e vencer cada etapa, tornando-se alguém consciente de seus limites, mas também muito consciente do Deus que pode ajudá-lo a superá-los.

Sabotando minha vida pelas finanças

Porque o amor ao dinheiro é a raiz de
todos os males.

1 TIMÓTEO 6.10a

A frase acima citada, do apóstolo Paulo, pode ser a chave da libertação de tudo que se refere à autossabotagem na área financeira. Não me tenha por simplista antes de ler adiante. A questão é que tudo que fazemos na vida, de alguma forma, vai envolver finanças. Por mais minimalistas que sejamos, o dinheiro é o que nos dará a possibilidade de possuirmos algo, por mais simples que seja. Pois bem, acompanhe-me nesse raciocínio. Quando eu tenho algum dinheiro e também tenho a consciência de que ele é apenas um recurso para que eu possa viver de maneira saudável e equilibrada, esse dinheiro é assim usado e dificilmente me trará qualquer prejuízo em outras áreas da vida. No entanto, quando o dinheiro que possuo é o foco, e não o que ele proporciona, o desejo de acumular se estabelece mais fácil e, da mesma forma, mais facilmente eu passarei a desejar ter mais e mais.

Nesse propósito de ter mais e mais dinheiro, podemos gostar mais dele do que daquilo que ele proporciona e, assim, ganhar mais passará a ser o nosso objetivo. Quando esse desejo crescer, e, não se iluda, ele cresce facilmente, dificilmente abriremos mão de qualquer coisa se isso significar ganhar menos dinheiro ou colocar-se como uma barreira para ganhar mais. Nesse ponto, estaremos amando mais o dinheiro que aquilo que ele proporciona, e esse "amor" pode arruinar nossa vida.

Existe um caso bem claro de autossabotagem financeira no evangelho de Marcos 10.17-24. Jesus se encontra pregando e chamando as pessoas para O seguirem em Seu caminho. Muitos já o seguiam nesse ponto, e alguns de Seus discípulos, ao serem chamados, tiveram que deixar para trás muitas coisas. Pedro, Tiago e João deixaram suas redes e seus barcos (seu meio de vida); Mateus deixou seu lucrativo negócio de cobrador de impostos; Zaqueu, que o seguiu mais tarde, renunciou a muita riqueza e devolveu tudo que havia ganhado ilicitamente. Você vai perceber ao longo do evangelho e mesmo depois, na história da igreja, muitas renúncias e entregas na área financeira.

Quando Jesus estava pregando, veio aquele sincero jovem que, ao se apresentar lhe fez uma pergunta: "Que devo fazer para ser salvo?" Jesus desenvolve um diálogo elucidativo com ele e mostra-lhe o que deveria fazer. O jovem responde: "Eu já faço tudo isso...". Ouvindo isso, Jesus então o concita a abrir mão de tudo que possuía em favor dos pobres e depois segui-lo. Ali mesmo, o jovem seguiu seu caminho e perdeu a oportunidade de se tornar, talvez, um de Seus discípulos como João, Pedro, Tiago e os demais. Veja o diálogo na íntegra e faça a sua avaliação:

> *Quando Jesus ia saindo, um homem correu em sua direção, pôs-se de joelhos diante dele e lhe perguntou: "Bom mestre, que farei para herdar a vida eterna?" Respondeu-lhe Jesus: "Por que você me chama bom? Ninguém é bom, a não ser um, que é Deus. Você conhece os mandamentos: 'Não matarás, não adulterarás, não furtarás, não darás falso testemunho, não enganarás ninguém, honra teu pai e tua mãe'".*
> *E ele declarou: "Mestre, a tudo isso tenho obedecido desde a minha adolescência". Jesus olhou para ele e o amou. "Falta-lhe uma coisa", disse ele. "Vá, venda tudo o que você possui e dê o dinheiro aos*

pobres, e você terá um tesouro no céu. Depois, venha e siga-me".
Diante disso ele ficou abatido e afastou-se triste, porque tinha muitas
riquezas. Jesus olhou ao redor e disse aos seus discípulos: "Como é
difícil aos ricos entrar no Reino de Deus!" Os discípulos ficaram admi-
rados com essas palavras. Mas Jesus repetiu: "Filhos, como é difícil
entrar no Reino de Deus!" (Mc 10.17-24).

Quem sabotou o futuro desse homem? Ele mesmo. E com o quê? Com o amor ao dinheiro e a tudo que o dinheiro lhe havia proporcionado. Esse homem teve uma rápida passagem pelo evangelho, nem sequer sabemos o seu nome; na realidade, a única coisa que sabemos é que ele era jovem, rico e uma pessoa religiosa, podemos assim dizer. Mas perceba aonde a autossabotagem o levou, a lugar algum dentro do magnífico plano de Deus para a humanidade. Ele poderia ter escrito um evangelho, andado com Jesus, realizado milagres, abençoado a humanidade, mas naquele momento e lugar abortou todas essas possibilidades. O dinheiro era seu foco, e o dinheiro o levou a ser nada.

Não posso deixar de comparar esse caso com a vida de Levi (Mateus). Este também foi chamado por Jesus e também era muito abastado e possuía boa posição social. Mas Mateus escreveu um evangelho que abençoou e continua abençoando bilhões de pessoas. E sabe Deus o que mais esse homem fez depois que disse sim a Jesus, e não às suas riquezas e posição.

Esse exemplo deixa bem claro o que acontece quando temos diante de nós uma gigantesca oportunidade de dar um salto considerável em nossa vida e nos alinharmos aos propósitos de Deus. Contudo, uma simples decisão pode também nos colocar distante desse propósito e nos alinhar apenas com os desejos ambiciosos do nosso coração. Nesse caso, o amor ao dinheiro foi a razão de todos os males que esse homem viveu e, em oposição, o desapego foi a causa de Levi (Mateus) ter seu nome escrito não somente no livro da vida, mas na galeria dos heróis da fé que inspiram vidas até o dia de hoje.

A grande maioria das pessoas do planeta se autossabota financeiramente, e isso, tenha certeza, é algo que impede que muitas pessoas sejam beneficiadas. Eu explico. Se alguém se sabota e deixa de investir em algum negócio que geraria vários empregos e faria com que a economia girasse, beneficiando assim um grande número de pessoas, essa autossabotagem não causou apenas um prejuízo para quem deixou de fazer esse investimento, mas para todos os que deixaram de ser beneficiados. A sociedade perde com a autossabotagem financeira das pessoas.

Uma das razões da autossabotagem financeira é a ausência de uma maior disciplina nessa área da vida. Isso está relacionado com o aspecto psicológico. Um percentual razoável, para não dizer as pessoas de classe média, por exemplo, na maioria, tem condições de crescer nessa área e se tornar, talvez, até milionárias. O que de fato elas não conseguem é crescer psicologicamente e persistirem até chegar lá. Uma das tendências dessas pessoas é viver dentro de um padrão financeiro e, quando qualquer valor extra aparece, como, por exemplo, horas extras, décimo terceiro salário, bônus etc., encontram logo uma maneira de gastá-lo e, quando o seu saldo fica devedor, poupam e promovem a recuperação. Ora, pense comigo, se podem poupar para quitar débito, por que não podem poupar para gerar crédito? Tudo isso é uma questão de hábito. Quando não se vence esse "mau hábito", se permanece flutuando entre o azul do crédito e o vermelho do débito. Isso faz muito mal a qualquer ser humano, desgastando suas energias, que são dirigidas para essas duas atividades totalmente improdutivas.

O estresse causado por esse estado, quase permanente, reflete-se no nosso dia a dia e especialmente no âmbito familiar. Já dissemos e reiteramos que as questões financeiras constituem o principal fator de crise no ambiente familiar, e, quando se mexe na família, está se mexendo em toda a estrutura da sociedade. A busca desse equilíbrio é possível, mesmo existindo uma tendência a gastar. Existe certo grau de controle financeiro, que está vinculado ao comportamento até inconsciente que nos impede de "quebrar"; trata-se de uma defesa promovida por uma crença interior que impede esse empobrecimento. Mas esse mesmo mecanismo também impede o progresso, pois as pessoas põem limites em seu crescimento por não acreditarem que podem crescer mais. Mesmo existindo a possibilidade material e real de crescimento, a questão limitadora é de caráter psicológico, pois, de fato, ela simplesmente não existe.

O sucesso financeiro também é pressionado pelo medo de empreender. Claro que eu sei que o Brasil não é um país onde os empreendedores recebem muitos incentivos, mas, mesmo assim, o quadro de empresários que surgem de muito baixo e crescem é relativamente grande. Mais uma vez, a sabotagem vem pelo fator psicológico, que gera o medo de empreender e criar o próprio negócio. Uma "carteira assinada" é o sonho da maioria das pessoas. Não possuí-la pode gerar até certo pânico nas pessoas. Mas nunca é pouco lembrar que as vagas de "carteira assinada" só existem porque alguém empreendeu e constituiu um bom negócio. Esse alguém, muito provavelmente, venceu uma luta interior, uma voz que dizia que ele era incapaz. Você percebe como é fácil sabotar a nossa própria vida? Uma saída aqui, um desvio pequeno ali, e mais na frente as coisas não conseguem mais se juntar e tudo está sob o risco de ruir.

Planejando para se proteger

Estamos tratando da autossabotagem em diferentes áreas de nossa vida, e em todas elas é possível desenvolver um processo de planejamento para a autoproteção. Uma das coisas que tenho aprendido na vida é não tentar "me garantir" assumindo que posso por minha própria capacidade vencer tudo, ou que sou capaz de fazer isso ou aquilo pela minha experiência. Nesta seção, tentarei mostrar como um bom e simples planejamento pode nos ajudar na prevenção da autossabotagem. Aqui tratamos da área financeira, mas tudo isso pode ser aplicado em qualquer área da vida em que você entenda que está se autossabotando.

A área financeira é algo onde devemos caminhar como quem pisa em ovos, com cuidado e atenção. Em momento algum, os extremos ajudarão nessa área de sua vida. Aqueles que se dizem não materialistas, que alegam que o dinheiro não compra a felicidade, que o dinheiro é um detalhe e deve nos servir, em vez de sermos servos dele, têm razão; de fato, isso tudo pode ser verdade. Contudo, mesmo assim, ele continua sendo um fator de difícil abordagem e equilíbrio na vida da maioria das pessoas. Declarações e clichês não ajudarão muito a quem deseja ter uma vida financeira equilibrada e livre das ameaças da autossabotagem. A chave, como em tudo, é o planejamento, e desejo compartilhar com você um pouco sobre isso.

Primeiro, deixe-me compartilhar algo pessoal, uma breve experiência que me ajudou a crescer. Você e eu sabemos que o cartão de crédito é uma "bênção" e ao mesmo tempo uma "maldição", tudo depende de como o utilizamos. Em uma fase de nossa família, o uso do cartão de crédito era algo rotineiro. Para tudo o usávamos, até para a feira semanal. Isso é mal? Sim e não, a depender da existência ou não de planejamento. Mas no nosso caso não havia; antes, havia a ilusão de que de alguma forma não estávamos gastando, pois não desembolsávamos dinheiro naquele momento em que o usávamos nas despesas. Isso nos levou a estar sempre endividados, e nosso orçamento sempre estava comprometido. Sem contar que, com esse mesmo pensamento de não estar desembolsando, acabávamos nos excedendo nas compras e abrindo as portas para o consumismo. Pode parecer algo simples, mas foi muito custoso para nós nos livrarmos dessa prática. Somente foi possível porque estabelecemos um plano. Aos poucos e intencionalmente, fomos deixando de usar o cartão de crédito, substituindo-o pelo cartão de débito. Levou um tempo, mas no final conseguimos. Hoje, usamos o cartão de crédito e o de débito, mas de maneira equilibrada. No caso do cartão de crédito, evitamos despesas fora da nossa capacidade de pagamento integral da fatura. E você pode perguntar: "Qual foi a mágica?" A resposta é: não houve mágica; houve a consciência da necessidade de ajuda e de um planejamento. Hoje, as compras no cartão de crédito ocorrem, me dão vantagens como pontos e milhagens e são específicas. Não mais dependemos necessariamente dele, mas o utilizamos com consciência e em benefício de nossa saúde financeira. Praticamente, tudo é feito com o cartão de débito.

Vamos começar com alguns princípios que acorrem em praticamente tudo que desejamos empreender. Marcos Barros,[1] um mentor com larga experiência, diz muito bem que as nossas motivações seguem um ciclo de uma curva em "U" que nos mostra aspectos crescentes e decrescentes, de acordo com nosso comportamento.

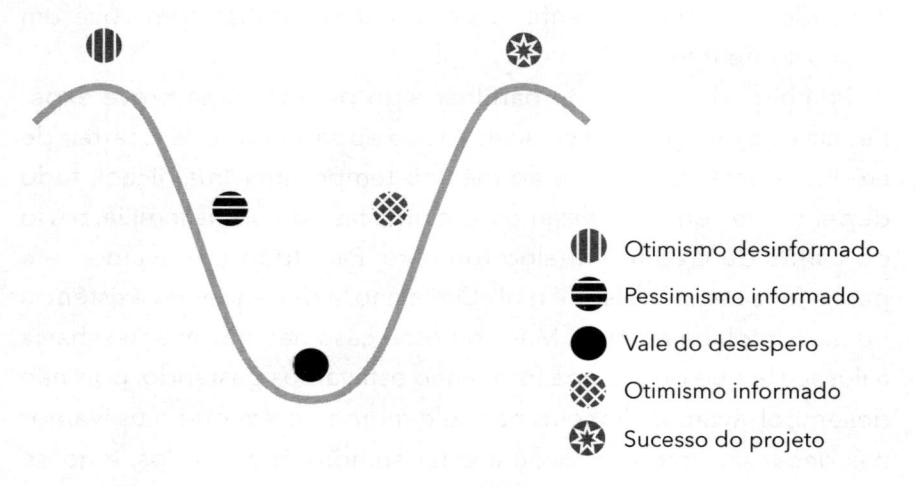

    Otimismo desinformado

    Pessimismo informado

    Vale do desespero

    Otimismo informado

    Sucesso do projeto

No início de tudo, existe um otimismo muito grande, mas ao mesmo tempo ele é um otimismo desinformado. Tem muito de boa vontade e pouco de planejamento. Aqui iniciamos um projeto passional, e paixão, você sabe, é fogo de palha. Não se procura olhar para as dificuldades com que poderemos nos deparar. Aqui olhamos para o que desejamos, mas não consideramos os obstáculos. Por isso, é desinformado. Resolvi que vou poupar R$ 500,00 reais por mês, mas não procurei verificar minhas despesas, ou, se tenho uma planilha, o que preciso

---

[1]Disponível em: <www.3minutos.org>.

fazer para poupar esse valor. Apenas decidi, mas não me informei, e as consequências disso surgem na fase seguinte.

Aqui as dificuldades começam a aparecer. Poupei de qualquer jeito no primeiro mês, mas no segundo mês encontrei dificuldades. Claro, eu não pensei de onde iria tirar recursos para poupar. O orçamento era apertado, e algo deveria ser modificado, uma despesa a menos etc. Fiz aquele "plano" na emoção, e nas primeiras dificuldades fui tentado a desistir. Aqui bate um pessimismo, mas ele é informado. Agora sabemos por que as coisas não andaram bem. Muitos desistem aqui, entendem que isso não é para eles, que não têm aptidão, e aí mesmo se sabotam, desistindo de tudo. Esses chegam à fase seguinte.

O vale do desespero, segundo Marcos Barros, é esse momento em que muitos desistem. Particularmente, creio que a maioria das pessoas desiste mesmo nesta fase. Mas outros entendem isso de forma diferente; percebem os erros e procuram aprender com eles. Tomam uma nova direção e, mesmo ainda achando tudo muito difícil, entendem também que é possível seguir corrigindo os erros. Nesse momento e com essa compreensão, esses partem para uma nova fase.

Esta é a fase na qual, com base nas análises feitas na fase anterior, essas pessoas buscam corrigir os erros, agir diferente. É a fase do otimismo informado. Por quê? Ora, porque agora eu já tropecei, tenho consciência do motivo por que tropecei e sei que é possível seguir adiante, contanto que corrija os erros da fase anterior. Tenho as informações e percebo que posso ter sucesso, de modo que sigo na direção dele.

Aqui é a última fase. Ela consiste no sucesso de quem passou por todas as fases anteriores e soube corrigir cada etapa, extraindo desses erros e equívocos as lições necessárias, e o resultado não é outro senão o sucesso.

Diante disso e segundo o princípio de Marcos Barros, surgem três perguntas que precisam ser feitas para a correção de rumos e para evitar esse processo de autossabotagem que, acabamos de ver, muitas, senão a maioria das pessoas, se envolvem. A primeira delas é "por quê?" Ele afirma acertadamente que a pergunta a ser feita não deve se iniciar com "como" devo fazer, mas "por que", pois é aí que a sua motivação ganha força. Por exemplo, por que eu quero poupar esse valor? Porque eu quero colocar meu filho em uma escola melhor e lhe dar uma maior oportunidade de crescimento, ou porque queremos nos mudar para um bairro melhor e mais acessível, ou porque queremos tirar férias em família... Como você vê, "por quê?" é o que me traz a motivação, e essa motivação é algo relevante emocionalmente falando. Isso me impulsiona a cumprir aquele objetivo. Por isso, digo que "por quê?" é a chave de tudo nesse particular; ele é que vai motivar a entender e cumprir o "como?" De modo que me manter lembrando do "por quê?" é muito importante. Acho que é bom mentalizar esse "por quê?" Caso se trate de férias, veja-se no lugar desejado; se for uma mudança, veja-se no bairro desejado; se for a escola de seu filho, veja-se levando-o a ela e acompanhando-o em sua evolução etc.

Para evitar a autossabotagem nessa fase dos questionamentos com "por que", traga Deus para dentro dela. Aliás, você deverá trazer Deus para dentro de todas as fases da sua vida, pois é Ele quem vai lhe dar forças e discernimento para vencer cada uma das etapas. O "por quê?", na vida com Deus, é e deve sempre estar associado com "para quê?" E o maior "para quê?" que existe será sempre viver dentro do propósito de Deus. Preste bem atenção no que vou dizer agora. O nosso bem é um desejo de Deus, o nosso melhor é um desejo de Deus e está associado à vontade dEle, o nosso melhor é o propósito de Deus, e na maioria das vezes quem impede que isso ocorra somos nós mesmos em nossas escolhas equivocadas que nos distanciam desse propósito. Portanto, comece deixando de lado qualquer espírito de autocomiseração; você não precisa dele e isso em nada vai ajudar.

A Bíblia nos diz por meio do profeta Jeremias que o propósito de Deus para nossa vida é que estejamos bem: *Porque eu bem sei os pensamentos que tenho a vosso respeito, diz o SENHOR; pensamentos de paz, e não de mal, para vos dar o fim que esperais* (Jr 29.11).

No entanto, a sequência do texto não deve ser esquecida, ela nos exorta que esse alinhamento com a vontade de Deus é o que nos direciona para entendermos cada pergunta que fazemos:

> *"Então vocês clamarão a mim, virão orar a mim, e eu os ouvirei. Vocês me procurarão e me acharão quando me procurarem de todo o coração. Eu me deixarei ser encontrado por vocês", declara o SENHOR, "e os trarei de volta do cativeiro. Eu os reunirei de todas as nações e de todos os lugares para onde eu os dispersei, e os trarei de volta para o lugar de onde os deportei", diz o SENHOR* (Jr 29.12-14).

Colocar Deus dentro dos nossos projetos é o primeiro passo para evitar a autossabotagem. É ele quem vai direcionar o seu "por quê?" para um propósito nobre. Nenhuma economia valerá a pena se não tiver um propósito nobre, e somente Deus pode nos trazer a certeza de que esse propósito existe. Um "por quê?" equivocado, distanciado do propósito de Deus, trará apenas, a curto, médio ou longo prazo, prejuízos para sua vida. Assim, a autossabotagem acontece, você cai na armadilha montada por si mesmo porque não fez a pergunta certa para encontrar a resposta também acertada.

Uma vez motivados e cheios de vontade, conhecendo as dificuldades, vem a outra pergunta importante: "o que isso vai me custar?" Como estamos falando da área financeira, essa mudança de atitude econômica terá, sim, um custo emocional e disciplinar. Talvez algo deverá ser cortado da lista de despesas, talvez as saídas de casa devem ser reduzidas, e os supérfluos, se identificados, cortados. Mas isso terá um custo e demandará determinação de todos os membros da família. Se o projeto é em família, esse custo precisa ser bem avaliado e colocado para todos; caso contrário, na primeira dificuldade ou corte, alguém pode se queixar, e será criado mais um problema dentro da família. A unidade no projeto, se for familiar, é crucial.

Uma direção que podemos ter é que calcular esse custo e entender como vamos arcar com ele será muito importante. Você deve se preparar para esse custo e, quando chegar nele, estará bem mais tranquilo. Isso é algo que você não pode deixar de considerar. Não há ganho sem sacrifício. Em tudo que fazemos e trazemos Deus conosco, aumentamos em muito a possibilidade de termos êxito. Mas a vida cristã não é uma rotina fácil, isso porque ela transcorre na contramão da direção da sociedade desde seu início. Como cristãos, vivemos em uma contracultura.

Em todas as áreas da vida, a busca de Deus e do discernimento de como agir é fundamental. Você pode estar seguro de que, qualquer que seja o custo, Deus estará a seu lado para o ajudar a vencer. A Bíblia nos mostra esse princípio inalienável. Em diferentes momentos da história e com diferentes pessoas, Deus sempre Se mostrou presente. Os desafios de homens e mulheres de Deus ao longo da história da salvação sempre tiveram um alto custo. Observe as tarefas recebidas por homens como Noé, Abraão, Moisés e Josué. Qual foi o preço que Débora teve de pagar? Na cultura judaica, ela foi juíza e líder. Em todos esses casos e outros, houve sempre um custo, mas também a presença de Deus fortalecendo e ajudando a vencer. Uma palavra sempre esteve presente:

> Tão somente esforça-te e tem mui bom ânimo, para teres o cuidado de fazer conforme a toda a lei que meu servo Moisés te ordenou; dela não te desvies, nem para a direita nem para a esquerda, para que prudentemente te conduzas por onde quer que andares. Não se aparte da tua boca o livro desta lei; antes medita nele dia e noite, para que tenhas cuidado de fazer conforme a tudo quanto nele está escrito; porque então farás prosperar o teu caminho, e serás bem-sucedido. Não to mandei eu? Esforça-te, e tem bom ânimo; não temas, nem te espantes; porque o SENHOR teu Deus é contigo, por onde quer que andares (Js 1.7-9).

Sim, existe um custo em tudo que empreendermos, mas podemos pagá-lo; para tanto, a presença de Deus em nossas decisões será fundamental.

Outra pergunta que precisa ser feita e que pode nos ajudar no desenvolvimento de nossos planos é "com quem?" Um dos grandes erros que cometemos tem a ver com a autossuficiência. Procure alguém que o apoie nesse projeto de reorganizar suas finanças e, se você for casado(a), é bom que este seja o seu cônjuge. Alguém precisa estar por perto motivando e sendo aquele a quem você presta contas. Mas entenda bem: essa pessoa precisa estar de seu lado, entender o projeto e concordar com ele.

Durante muito tempo, fiz caminhadas diárias bem cedo pela manhã. Não era nada fácil acordar às 5 horas da manhã e às 5h15 estar pronto para caminhar. Mas houve algo que me ajudou, dando-me estímulo constante. Havia um amigo que todo dia, às 5h15 estava me esperando na frente de minha casa, e isso foi fundamental para que por anos essa rotina se repetisse. A presença de alguém nos apoiando é, sim, um aspecto muito importante para vencer a autossabotagem em todas as áreas e na área financeira também. Sabe-se de pessoas que contratam alguém para sistematicamente cobrá-las da evolução dos seus planos. Você não precisará fazer isso, pois provavelmente tem alguém que o possa ajudar. Se você é parte de uma igreja, pode ter um pastor, um líder, um irmão, ou irmã, na fé mais achegado que possa cumprir esse papel. O importante é que você tome uma decisão de não caminhar só.

A Bíblia em sua sabedoria mostra isso desde o início do mundo, quando Deus disse: [...] *Não é bom que o homem esteja só; farei para ele alguém que o auxilie e lhe corresponda* (Gn 2.18). Sim, porque a jornada solitária é mais difícil. Em outra passagem muito usada quando se ministra a casais, embora o conselho seja para todos que tendem a optar por caminharem sozinhos, lemos:

> *Melhor é serem dois do que um, porque têm melhor paga do seu trabalho. Porque se um cair, o outro levanta o seu companheiro;*

mas ai do que estiver só; pois, caindo, não haverá outro que o levante (Ec 4.9,10).

Na vida, de maneira geral é assim: a presença de um apoio, mentor, pastor, amigo, alguém a quem possamos pedir *feedback*, e aceitar de bom grado esse *feedback* é muito importante. Mas é importante também que depois dessas três perguntas exista uma quarta e geral, "qual o próximo passo?" Por quê? Porque isso ajudará você a estar conectado com o objetivo principal. Se meu alvo é poupar, investir algum dinheiro, eu quero crescer nisso. O próximo passo talvez seja investir um pouco mais de dinheiro naquela aplicação ou permitir que reste mais no final do mês para aumentar a poupança. Tudo isso vai requerer um passo adiante, um próximo passo. Procure acordar todos os dias com a pergunta: "O que preciso fazer hoje para que esse projeto possa dar certo?" Isso vai ajudar muito na sua caminhada; será uma porção diária de ânimo para vencer qualquer possibilidade de autossabotagem nas suas finanças, vivendo todas as fases citadas, desde o otimista desinformado até o sucesso, passando pelo vale do desespero.

A autossabotagem no dízimo

Se somos cristãos, devemos viver de acordo com a cultura do reino de Deus, e essa cultura somente pode ser implementada na igreja se antes for implementada em nossa vida. Afinal de contas, sabemos que a igreja somos nós, o povo de Deus espalhado neste planeta. Cultura somente se implementa caso se implemente valores que a definam. Um dos valores da cultura do reino de Deus é a doação. O centro da fé cristã se resume na imensa doação de uma Pessoa (Deus) ao Seu povo. Por essa razão, a Bíblia defende que "mais bem-aventurado é dar do que receber". Em nosso projeto de nos aproximarmos cada vez mais da "estatura do varão perfeito" (Jesus), vamos buscando as atitudes que possam demonstrar claramente essa semelhança com Cristo.

O dízimo é uma dessas expressões, e, por mais que alguns tentem descaracterizar o dízimo como fora dos padrões neotestamentários, não conseguirão. Veja bem: todo os evangelhos falam da entrega de nossa vida a Deus para ser usada por Ele na construção de Seu reino. Assim, quando me entreguei a Jesus, o fiz de todo o coração, sem reservas. A partir daquele dia da minha conversão, fui entendendo que tudo que eu tenho vem dEle, e o dom que recebo dEle o devolvo para a continuidade da obra que é dEle também. É claro que como letra o dízimo pode até não encontrar muita base no Novo Testamento, mas como princípio ele está engastado em todas as páginas das Escrituras Sagradas, pois todas elas testemunham de entrega total.

A base do Antigo Testamento para a prática do dízimo é muito forte, mas os princípios falam mais hoje do que a lei. Jesus disse que deveríamos manter o dízimo como um princípio. Veja este texto:

> *Ai de vocês, fariseus, porque dão a Deus o dízimo da hortelã, da arruda e de toda sorte de hortaliças, mas desprezam a justiça e o amor de Deus! Vocês deviam praticar estas coisas, sem deixar de fazer aquelas* (Lc 11.42).

Perceba que esse capítulo todo envolve um ensino, e todo o ensino é por princípios e em diferentes áreas da vida. Essa menção do dízimo é uma das partes apenas desse valioso ensino de Jesus. No ensino básico do dízimo e das ofertas, fala-se de promessas. O texto de Malaquias diz que as comportas do céu se abrirão:

> *"Tragam o dízimo todo ao depósito do templo, para que haja alimento em minha casa. Ponham-me à prova", diz o SENHOR dos Exércitos, "e vejam se não vou abrir as comportas dos céus e derramar sobre vocês tantas bênçãos que nem terão onde guardá-las"* (Ml 3.10).

Mais uma vez, o ensino do texto é de promessas para aqueles que obedecerem, e o Novo testamento não é diferente quando fala do princípio da doação. Vários princípios estão presentes no texto que segue, em que se destaca a ênfase na doação: *Deem, e lhes será dado: uma boa medida, calcada, sacudida e transbordante será dada a vocês. Pois a medida que usarem, também será usada para medir vocês* (Lc 6.38).

Mesmo não mencionando o dinheiro, o texto afirma o princípio da doação, e a doação de nossos recursos está implícita nas palavras de Jesus. Assim, a promessa se mantém desde o AT até o NT. Portanto, quando me recuso a entregar o dízimo e me privo de doar, estou sabotando meu futuro e minha prosperidade. Algo bem direto: não dou, não entrego, também não recebo na proporção prometida daquela quantidade "calcada e sacudida". Minha atitude mesquinha e ausente de fé, mas também descomprometida com a obra de Deus, não somente sabota minha prosperidade e o meu bem, como também prejudica o avanço da obra de Deus. Eu não avanço, minha contribuição não entra e o Reino se limita pelo meu limite de doar.

Quando você pensar sobre dízimos e ofertas, pense nisso em mais do que uma barganha com Deus, pense em uma parceria abençoada e abençoadora. Não se autossabote procurando justificativas para se privar de ofertar a Deus, lembrando-se de que Ele tudo ofertou para que tivéssemos vida, e vida eterna. Se entendemos que há promessas nesse caso, estaremos nos privando delas quando nos privamos de doar aquilo que Deus pede. Paulo, quando escreve aos filipenses, diz algo interessante:

> *pois, estando eu em Tessalônica, vocês me mandaram ajuda, não apenas uma vez, mas duas, quando tive necessidade. Não que eu esteja procurando ofertas, MAS O QUE PODE SER CREDITADO NA CONTA DE vocês* (Fp 4.16,17 – grifo do autor).

Paulo está afirmando que, quando os filipenses ofertaram, eles ganharam crédito, cresceram na promessa e não bloquearam a ação de Deus na vida deles. A promessa continua viva, e eles receberão o crédito. A recepção daquelas ofertas por Paulo acabava beneficiando eles mesmos, pela promessa contida no coração de Deus quando a generosidade invade nosso ser. Creio que você entendeu essa dinâmica e como ela funciona. Bem diferente de barganha, promessa é a palavra de Deus empenhada; barganha é o nosso coração interesseiro atuando. A promessa, quando entendida e vivida gera crédito; a barganha gera desprezo, pois é interesseira.

Uma última analogia poderia ser a salvação pela graça. Somos salvos pela graça, e essa graça gera um coração que deseja fazer a vontade de Deus para a nossa vida e para a dos outros. Paulo diz que somos salvos pela graça *para* as boas obras (cf. Ef 2.8). Alguns creem na salvação pelas obras e, assim, saem fazendo obras como se com elas pudessem comprar a salvação. Isso é barganhar a salvação, como se ela tivesse um preço, mas o preço foi pago por Jesus na cruz. Quem defende a salvação pelas obras, defende a barganha com Deus.

Por essas razões, creio que, quando decidimos não ser dizimistas, estamos, de alguma forma, sabotando nossa vida e obstruindo nela o fluxo da promessa de Deus. Ponha atenção nisto: eu disse "quando decidimos", e isso significa que sabemos do princípio, temos consciência do propósito de Deus, mas resolvemos não o acatar ou trazê-lo para a nossa vida. Assim, por falta de confiança na promessa, entramos em um processo de autossabotagem.

(Meu conselho)

O dinheiro é um assunto intensamente tratado na Bíblia. Luciano Subirá, em seu estudo "Questão do dinheiro", cita a frase de Howard Dayton, no livro *O seu dinheiro*, que afirma que na Bíblia há mais de 2.300 versículos sobre dinheiro, bens e posses.[22] Ora, se isso é um fato, deve haver uma razão, e a razão é que a própria Bíblia diz:

---

[2]SUBIRÁ, Luciano. Disponível em: <http://www.orvalho.com/ministerio/estudos-biblicos/a-questao-do-dinheiro/>. Acesso em: 23.08.2019.

pois o amor ao dinheiro é a raiz de todos os males. Algumas pessoas, por cobiçarem o dinheiro, desviaram-se da fé e se atormentaram a si mesmas com muitos sofrimentos (1Tm 6.10).

Sim, a razão de a Bíblia conter tantas exortações é esta: o ser humano tem uma inclinação pelo poder e as benesses que o dinheiro pode proporcionar, de modo que chega a ter por ele uma devoção comparável ao amor. Mas o dinheiro tem limites. Uma citação atribuída ao poeta norueguês Arne Garborg diz:

[...] o dinheiro pode comprar comida, mas não apetite; remédio, mas não saúde; camas confortáveis, mas não sono; conhecimento, mas não sabedoria; enfeites, mas não beleza; luxo, mas não aconchego; diversão, mas não alegria; conhecidos, mas não amigos; empregados, mas não fidelidade.[33]

A Bíblia não condena o dinheiro, nem quem o possui, ainda que seja muito. O importante é a atitude da pessoa. A direção que a Bíblia nos dá pode nos colocar em um eixo de equilíbrio em relação ao uso do dinheiro, libertando-nos do vínculo "apaixonado" por ele. Meu conselho para que a sua vida ganhe moderação nesse particular é: esteja livre da autossabotagem financeira. Acrescento aqui alguns conselhos bíblicos relativos ao uso do dinheiro. Observe-os com cuidado e reflita sobre o assunto:

Não esgote suas forças tentando ficar rico; tenha bom senso!
                                                                    (Pv 23.4).

Conservem-se livres do amor ao dinheiro e contentem-se com o que vocês têm, porque Deus mesmo disse: "Nunca o deixarei, nunca o abandonarei" (Hb 13.5).

---

[3]Disponível em: <https://www.goodreads.com/author/quotes/872431. Arne_ Garborg>. Acesso em: 24/09/2019.

Quem confia em suas riquezas certamente cairá, mas os justos flores-cerão como a folhagem verdejante (Pv 11.28).

Então lhes disse: "Cuidado! Fiquem de sobreaviso contra todo tipo de ganância; a vida de um homem não consiste na quantidade dos seus bens" (Lc 12.15).

O fiel será ricamente abençoado, mas quem tenta enriquecer-se depressa não ficará sem castigo (Pv 28.20).

Após sua reflexão, faça uma autoanálise respondendo para si mesmo essas perguntas. Suas respostas precisam ser since-ras, caso contrário aqui se inicia outro processo de autoengano e autossabotagem.

- As propostas de enriquecimento rápido e fácil o atraem?
- O assunto dinheiro e bens lhe traz prazer?
- A generosidade é algo difícil para você?
- Você acha que pode comprometer seus valores para ganhar dinheiro?
- Dinheiro para você significa *status*?
- Sua família e saúde sofrem em relação à sua atitude com o dinheiro?
- Seu pensamento está sempre ocupado com o tema dinheiro?
- Você tem dificuldades pessoais, e não financeiras, de entregar o dízimo?
- Você tem dificuldades pessoais, e não financeiras, de ofertar para a obra missionária?
- Você tem dificuldades de partilhar o orçamento familiar com seu cônjuge?

A resposta positiva a essas perguntas pode colocar você em um limiar muito tênue quanto ao risco de viver uma autossabota-gem financeira na sua vida. Por quê? Porque pode mostrar certo apetite pelo assunto. Será cauteloso escolher suas companhias entre pessoas que tenham uma hierarquia de valores equilibrada, na qual os valores supremos, como a espiritualidade e a moralidade, estejam na ordem certa, e os valores materiais estejam de fato na posição inferior dessa escala, caso contrário você estará bem tendente a usar os relacionamentos (pessoas) e valorizar os bens materiais.

Por fim, faça um orçamento e ordene suas despesas dentro de suas possibilidades elegendo as prioridades corretas. Um orçamento pode ser muito simples, e, quando se ganha o hábito de registrar as despesas fixas, variáveis, entradas e saídas, ganhamos muito no equilíbrio das finanças e afastamo-nos ainda mais da possibilidade da autossabotagem.

Sabotando pela procrastinação

Existe uma frase muito conhecida de todos nós que diz assim: "Na segunda-feira, começo minha dieta", e nela também pode se encaixar o começo na academia, no curso de idioma, a caminhada diária etc. Nessa frase, encaixa-se tudo aquilo que talvez durante meses ou anos temos postergado pela procrastinação que nos consome. Talvez seja interessante observarmos a definição dessa palavra tão conhecida e vivida na prática por tanta gente. Vejamos a definição dada pelo *site* educalingo:[1]

> **Procrastinação** é o diferimento ou adiamento de uma ação. Para a pessoa que está a procrastinar, isso resulta em *stress*, sensação de culpa, perda de produtividade e vergonha em relação aos outros, por não cumprir com as suas responsabilidades e compromissos. Embora a procrastinação seja considerada normal, torna-se um problema quando impede o funcionamento normal das ações. A procrastinação crônica pode ser um sinal de problemas psicológicos ou fisiológicos. A palavra em si vem do latim *procrastinatus*: *pro* e *crastinus*. A primeira aparição conhecida do termo foi no livro *Chronicle*, de Edward Hall, publicado primeiramente antes de 1548. Logo, um procrastinador é um indivíduo que evita tarefas ou

---

[1]Disponível em: <https://educalingo.com/pt/dic-pt/procrastinacao>. Acesso em: 26.08.2019.

uma tarefa em particular. Segundo o filósofo Thiago Klinger, a procrastinação do indivíduo é resultado do planejamento exacerbado e/ou supérfluo em intersecção com a falta de uma perspectiva vigente. Tais perspectivas derivam da angústia dos resultados ou de simplesmente da falta de "motivação" do indivíduo em relação ao objeto.

Observe agora se essas frases fazem parte da rotina de sua vida, mas seja sincero, pois essa será a chave para você ser ajudado nesse processo de libertação desse comportamento, que, mesmo sendo comum a muita gente, continua sendo muito danoso e é uma das mais intensas maneiras de sabotarmos nossa própria vida.

"Eu vou só ver esse episódio desta série."
"Eu vou apenas dar uma volta no *shopping*."
"Vou só dormir mais um pouco."
"Vou só olhar minhas redes sociais, rapidinho…"
Até que… "Ei! Para onde foi meu dia?!"

Essas e outras frases podem fazer parte de um universo que retrata um comportamento irresponsável que traz prejuízos para nossa vida. Se elas fazem parte de sua rotina, você deve estar sabotando a sua própria vida e deve abrir os seus olhos, porque isso pode lhe causar muitos danos. Por isso, vamos trabalhar neste capítulo para identificar esse comportamento e ver como podemos nos libertar dele.

Vamos estabelecer aqui alguns princípios que precisam ser bem esclarecidos. Em primeiro lugar, é importante saber que procrastinação não é o mesmo que preguiça. Com certeza, existe muita gente que sem saber se considera um preguiçoso e de fato não é, mas sofre desse mal de ser um procrastinador. A maioria das pessoas que procrastina sabe que está fazendo isso, mas não consegue facilmente se livrar dessa atitude. É importante dizer que a procrastinação acompanha o ser humano, e dificilmente vamos nos livrar dela na sua totalidade. Mas, ao administrarmos sua influência em nossa vida, mitigaremos em muito seus efeitos danosos e poderemos conviver com baixos níveis de procrastinação, sem grandes problemas.

Mas o que de fato ocorre? Pois bem, considere o seguinte. O procrastinador é tomado por um forte incômodo em realizar determinada tarefa e assim, motivado por esse incômodo, ele simplesmente se desvia dessa tarefa. Não precisa ser uma tarefa complicada ou difícil. A maioria das tarefas procrastinadas são coisas simples que com apenas uma decisão seriam executadas. Mas a pessoa simplesmente não consegue, e talvez a razão principal desse fracasso em realizar essa simples tarefa é o fato de que em algum lugar na mente dessa pessoa essa tarefa se tornou algo ameaçador. O gráfico abaixo facilita a compreensão disso. Existe uma tarefa, mas o incômodo gerado pela forte ameaça faz com que a pessoa se desvie de realizar a tarefa.

Alguém pode perguntar: "Por quanto tempo isso pode durar?" É simplesmente imprevisível. Dias, semanas, meses e até mesmo anos sem vencer esse incômodo e encarar a tarefa, que, mesmo sendo simples, parece algo intransponível.

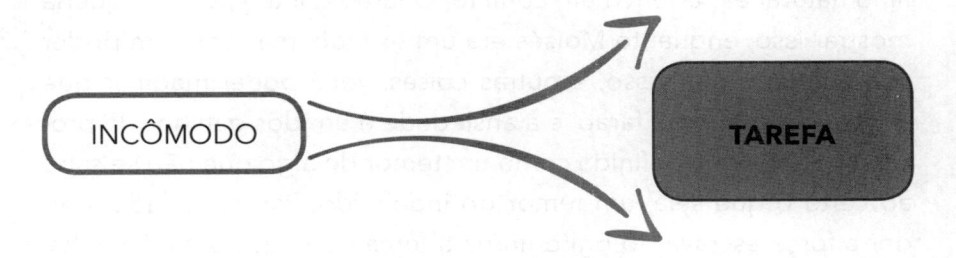

Não é minha intenção fazer aqui uma análise psicológica ou psicanalítica desse fenômeno comportamental humano, mas, sim, tentar trazer à luz seus motivos e algumas sugestões para superá-lo. É importante saber que esse comportamento é tão antigo quanto o ser humano. A Bíblia registra alguns episódios de pessoas que mostraram sintomas de procrastinação.

Antes de tratarmos do assunto diretamente nas Escrituras, permita-me dar um exemplo com base na Bíblia, onde percebo como se instala a procrastinação no nosso coração. É importante saber que ela tem uma relação direta com a ansiedade e se avoluma quando a ansiedade cresce. Consideremos o episódio da libertação do povo hebreu do Egito. Tudo dependia da boa vontade do faraó, não é verdade? Se o faraó decidisse liberar o povo, tudo teria se resolvido. Fica claro também que Deus queria mostrar a sua glória e o seu poder ao poderoso Egito e seus líderes e o fez por meio das pragas e da própria libertação final do povo, terminando com o afogamento do exército do faraó nas águas do mar Vermelho. Deus contou com a arrogância e a ansiedade do faraó para mostrar Sua glória, essa é a verdade. Mas o faraó não sabia de nada disso e de fato colaborou para que a glória de Deus fosse revelada. Mas onde entra a procrastinação nessa história?

No capítulo 7 de Êxodo, inicia-se um processo de procrastinação. Não tenho elementos para fazer nenhuma análise psicológica do faraó, mas tenho alguns elementos que podem nos conduzir a entender melhor suas decisões. O faraó ficou ansioso, pois Moisés estava de volta, e ali havia algum provável tipo de competição; era o filho natural e o adotivo em conflito. O faraó tinha o poder e queria mostrar isso, enquanto Moisés era um exilado, mas com um poder sobrenatural. Tudo isso, e outras coisas, você pode imaginar que gerou ansiedade no faraó, e a ansiedade é um dos gatilhos da procrastinação. Ela é definida como um temor de algo que não se sabe ao certo o que seja, um temor do indefinido. Por outro lado, perder a força escrava do Egito tiraria a força que aquela nação tinha. Todas as nações que aboliram a escravidão na história da humanidade tiveram que se reinventar economicamente. Tudo isso pesava na cabeça do faraó, não era algo simples, e ele passou a ver o poder sobrenatural em Moisés, aquele ex-membro da corte egípcia que voltara com um outro poder desconhecido pelo faraó. A dúvida e o medo estavam presentes na mente do faraó. É mais complicado do que possamos pensar.

Com tudo isso em mente, ele se vê diante da ameaça e passa a tomar decisões procrastinadas. *Contudo, o coração do faraó se endureceu e ele não quis dar ouvidos a Moisés e a Arão, como o* SENHOR *tinha dito* (Êx 7.13).

Aqui começa uma série de decisões equivocadas do faraó que, como toda procrastinação, traz prejuízos, e esses prejuízos abrangem tanto a ordem pessoal, familiar e até corporativa, dependendo de onde a pessoa que procrastina está envolvida. Aqui foi todo o Egito prejudicado. No versículo 22 desse mesmo capítulo, o faraó mais uma vez tem a chance de tomar uma decisão que beneficiasse o Egito, mas novamente se negou. No capítulo 8, a partir do versículo 8, depois da praga das rãs o faraó dá uma demonstração inequívoca de que é um procrastinador quando pede a Moisés que ore por ele. Veja que Moisés pede que ele diga quando quer receber essa oração. A resposta é: amanhã!

"Amanhã" é a palavra mais usada por quem procrastina, adiar decisões é uma marca desse comportamento. Faraó adia por muitas outras vezes depois dessa. Imediatamente após a praga das rãs ter sido aliviada, ele voltou a procrastinar e assim aconteceu sucessivamente até a décima praga, que foi a da morte dos primogênitos, quando o faraó liberou o povo. Calcule com base nessa leitura de Êxodo quanto prejuízo foi causado a essa nação por conta da procrastinação de seu líder. E isso não cessou, pois, mesmo depois de liberar o povo, ele se arrependeu, voltou atrás e perseguiu os israelitas até as margens do mar Vermelho, quando seu exército foi praticamente todo destruído, ao morrer afogado nas águas do mar.

Narrei com mais detalhes esse episódio para termos uma ideia clara do que a procrastinação é capaz de fazer em nossa vida e em torno dela, com as pessoas que de alguma forma dependem de nossas decisões. No caso de líderes, imagine que o prejuízo nunca é apenas pessoal, pois líderes são CEOs de grandes corporações, gerentes, supervisores, pastores, executivos denominacionais, pessoas que coordenam grandes grupos, os quais, quando sofrem desse mal, carregam consigo prejuízos para muitas pessoas. Mas também isso é danoso para qualquer pessoa comum, um pai de família, uma dona de casa, marido ou esposa, que, por procrastinar, compromete e traz prejuízos para a sua família e casamento.

Administrando a procrastinação

Como já mencionei, acredito que vencer totalmente a procrastinação não está ao alcance da maioria das pessoas; então, vamos falar de administrá-la, pois assim podemos conviver com aquelas questões procrastinadas que não causam mais prejuízos à nossa vida porque já conseguimos administrá-las. Tentar dizer que nada mais em sua vida será alvo de um adiamento desnecessário seria se iludir, e precisamos ser realistas para combater esse mal. Se acontece de uma vez você colocar o despertador no modo soneca para não ter que ir para a academia, isso não precisa ser alvo de uma análise profunda e de um martírio pessoal. Apenas siga atento, pois quando, e se, entrar em processo de repetição, o sinal vermelho acendeu. Mas a essa altura acredito que você já tem consciência disso.

É importante que apresentemos as atitudes para superar a procrastinação, pois a produtividade é inversamente proporcional à procrastinação. Ela sobe na medida em que a outra desce. Graficamente é algo assim:

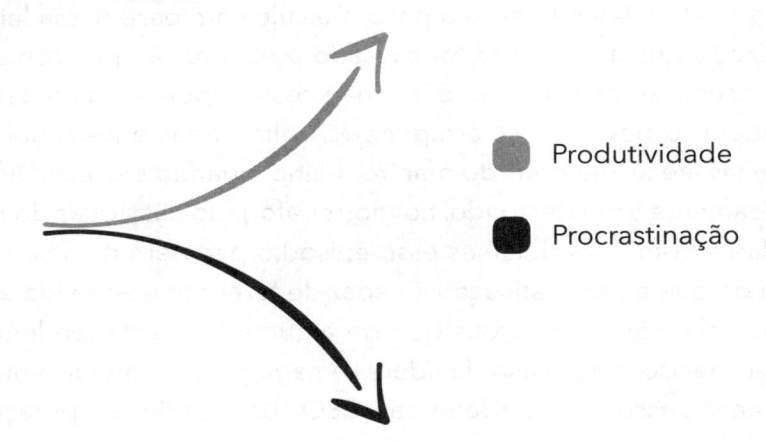

● Produtividade

● Procrastinação

Se consigo administrar a procrastinação na minha vida, avanço nas áreas em que ela mais me afeta, porque ela acomete exatamente a minha produtividade. Produzindo mais, evoluo mais, ganho mais, me relaciono mais, estudo mais, trabalho melhor, melhoro meu casamento, minha família, e as melhoras repercutem em todas as áreas nas quais ela me afeta. Para Hugo Rocha, do *blog* klickpages,[2] existem diferentes tipos de procrastinadores. Cito aqui alguns deles.

- **O tipo evasivo**. Este é um clássico. Para ele, procrastinar significa não ser julgado por suas atitudes. Afinal, se nada fizer, ninguém vai lhe apontar o dedo. Essa é uma forma comum de o procrastinador entender suas tarefas, mas que não se sustenta na prática. Dependendo da atividade, se eu resolver não realizá-la em razão do medo de ser julgado, vou acabar sendo julgado pela falta de comprometimento.

- **O tipo relaxado**. O procrastinador relaxado é aquele que age intencionalmente, embora nem sempre perceba os danos da sua atitude. O que ele faz são escolhas. E como já diz aquele ditado, "cada escolha implica uma renúncia". Se eu realizar uma videoconferência com um cliente agora, vou deixar o *feedback* com a equipe para outro dia. Se não responder àquele *e-mail* pendente, posso voltar minhas atenções ao relatório financeiro que o contador produziu. Tudo faz sentido e até parece uma decisão racional e saudável. Mas aquilo que escolho não fazer não deixa de existir por isso. Muitas vezes, esse tipo de erro tem como pano de fundo a incapacidade de gerir o tempo e se organizar, assim como também de definir prioridades.

- **O tipo tenso-nervoso**. E por falar em problemas com o tempo, o procrastinador tenso-nervoso se mostra um verdadeiro campeão. Ele já não é organizado, e a isso se soma a ansiedade e sentimentos negativos que só contribuem para não manter o foco no que de fato importa. Há quase uma dependência pelo estado de pressão, de corrida contra o relógio, de provar para si próprio que rende bem nos piores cenários. E se alguém o aconselha a pegar leve e relaxar, uma possível parada só vai aumentar a sua sensação de culpa e o estresse pelas tarefas que se acumulam. Não

---

[2] Disponível em: <https://klickpages.com.br/blog/o-que-e-procrastinar/>. Acesso em: em: 24/09/2019.

significa, necessariamente, que o sujeito assumiu mais atividades do que pode dar conta. Talvez só não saiba se organizar para fazer isso em um nível saudável. Temos aí quase uma bomba-relógio prestes a explodir. E o procrastinador tenso-nervoso sabe disso, tanto que se afasta do convívio social e costuma se enclausurar em um espaço onde só entram mais tarefas.

Fazendo uma análise de cada um desses tipos de procrastinadores, passa pela minha memória pessoas que conheci que desenvolviam algumas dessas atitudes e, lembrando bem, vi quanto isso foi danoso para elas, pois conheço essas pessoas e pude ver aonde chegaram ou não chegaram. Mas é bom que saibamos e, se necessário, repitamos que todos nós em algum nível acabamos por desenvolver atitudes procrastinadoras em nossa vida. Eu mesmo posso enxergar as vezes em que agi assim. Mas, como para tudo na vida há uma saída, para o caso em pauta também há uma, desde que nossos olhos estejam abertos e exista em nós senso suficiente para admitir e seguir em busca de melhoras.

A primeira atitude para vencer as rotinas da procrastinação é admiti-la. Sim, sem o reconhecimento de que isso está acontecendo em sua vida, jamais você vai tentar se libertar. Parece óbvio, mas eu não poderia deixar de mencionar o grande número de pessoas que simplesmente se negam a admitir e se justificam dizendo que "isso é assim mesmo" ou "acontece apenas às vezes". Argumentos como esses revelam insistente negação. Claro que alguém assim jamais se livrará de qualquer mal em qualquer área da vida. Contudo, sem que o admitamos, não avançaremos. Todos os programas de anônimos e de passos que tentam ajudar as pessoas a se livrarem de maus hábitos são iniciados pela atitude de sair da negação. Dentro da perspectiva bíblica, não é diferente: o perdão só vem depois que se assume o erro ou, se preferir, o pecado. Existe uma frase que está bem engastada de princípios bíblicos que diz: "Pecado confessado é pecado perdoado". Assumir será sempre necessário para a libertação. Veja bem o que a Bíblia diz a esse respeito:

Se afirmarmos que estamos sem pecado, enganamo-nos a nós mesmos, e a verdade não está em nós. Se confessarmos os nossos pecados, ele é fiel e justo para perdoar os nossos pecados e nos purificar de toda injustiça. Se afirmarmos que não temos cometido pecado, fazemos de Deus um mentiroso, e a sua palavra não está em nós (1Jo 1.8-10).

Como cristão, procuro uma base bíblica para o que faço ou empreendo, e aqui não é diferente. Por experiência, posso afirmar que as forças que encontramos em Deus nos fazem superar o que se considera insuperável aos olhos humanos. E, sejamos sinceros, assumir nossos erros nem sempre é algo fácil. Eu diria que para muitas pessoas beira o impossível. Isso tem a ver com outro aspecto, que é o orgulho, a altivez e, por que não dizer, a arrogância, que vem lá de trás no sentimento de independência que se assenhoreou do ser humano depois que decidiu se afastar do Criador. Se você deseja vencer a autossabotagem, que pode parecer algo pequeno, e há quem diga que achar isso pequeno já é o processo de autossabotagem atuando, que pode arruinar sua vida e especialmente seu futuro, precisa assumir que de alguma forma está vivendo esse drama. Para um cristão, que deve se considerar uma "obra inacabada" em busca constante de aprimoramento, ouvir o conselho de Jesus é fundamental. Veja o que ele disse:

Venham a mim, todos os que estão cansados e sobrecarregados, e eu lhes darei descanso. Tomem sobre vocês o meu jugo e aprendam de mim, pois sou manso e humilde de coração, e vocês encontrarão descanso para as suas almas. Pois o meu jugo é suave e o meu fardo é leve (Mt 11.28).

A ideia do que Jesus está dizendo se aplica a tudo que desejemos vencer e nos sintamos fracos e incapazes de fazer. Desvencilhe-se da culpa e mantenha a confiança de que ele está ao seu lado nessa luta. Vencer a autossabotagem não pode ocorrer sob uma pressão e um fardo pesado de culpa, vergonha ou coisas desse tipo. Jesus é o maior interessado em ver você vitorioso nessa guerra. Mas, antes de qualquer coisa, veja-se como alguém que precisa de ajuda. Siga esta sequência:

- Reconheça suas limitações.
- Ore pedindo ajuda a Jesus.
- Tire um tempo diário com Deus intencionalmente para observar na Bíblia onde pessoas de Deus, homens e mulheres, com todas as suas imperfeições conseguiram as respostas e ajuda em suas dificuldades.
- Intencionalmente, mude de atitude. Troque cada uma de suas fraquezas por uma qualidade. Peça ajuda quanto a isso. Sozinho, será mais difícil.
- Enxergue suas qualidades. Você as usou na atitude acima. Você reconhece que elas existem. Veja aqui a oportunidade de mudar.
- Estabeleça metas. Mas seja novamente intencional. Observe os atributos de Jesus, tome nota de cada um deles que você percebeu e busque dia a dia obter cada um deles.

Cada passo desses pode e deve ser dado constantemente, mas tudo começa com a atitude de reconhecimento de que se está envolvido em um processo de autossabotagem.

Algumas outras atitudes serão necessárias para vencer a autossabotagem em nossa vida. Talvez a principal delas esteja ligada à mudança de nossos hábitos. A força do hábito é algo mais poderoso do que possamos imaginar. No caso da procrastinação, é não adiar mais as decisões que precisam ser tomadas. Pode parecer redundante, mas é a pura realidade: de nada adiantará se reconhecermos que somos procrastinadores e que precisamos mudar se não dermos o primeiro passo. Tudo se relaciona com os hábitos. Os especialistas dizem que um enorme percentual dos hábitos diários de nosso dia a dia é formado inconscientemente. Por isso que mudar de hábito não é algo fácil, existe uma força poderosa do inconsciente por trás deles, e isso dificulta muito.

Algo que pode ajudar nesse particular da mudança de hábito é monitorar esses hábitos. Por isso, tenho insistido que toda mudança deve ser intencional, e não aleatória. Sempre que surgir uma necessidade, uma tarefa a ser realizada, pense duas vezes e reflita se ela pode ser realizada ali mesmo, para não a adiar. Se adiamos desnecessariamente, voltamos ao processo da autossabotagem, e ele se instala. Pode parecer simples, mas não é: as pequenas vitórias acumuladas e frequentes desenham uma grande conquista.

Dentro da mesma temática para vencer a autossabotagem, experimente diminuir a grandeza das tarefas. Se você não consegue ler um livro no mês, como gostaria, diminua a meta. Comece com um capítulo, uma página ou duas por dia, algo que seja possível e que o motive a seguir. Metas grandes de início são desmotivadoras. Ouvi certa vez uma palestra na qual o preletor falava nesse assunto. Ele dizia que procrastinadores se formam pelos mestres do minuto, ou seja, eles são aquelas pessoas que deixam tudo para o último minuto e acabam não conseguindo e adiando as tarefas, que caem em uma rotina de adiamentos, e assim são autossabotados. Não seja um mestre do minuto. Quando a demanda surgir, corra na direção intencional de resolvê-la, e seja motivado pelo prazer de vê-la resolvida. Mas comece. Nesses casos, o importante é começar, dar a partida.

Uma sugestão que parece algo à moda antiga é uma simples lista de tarefas diárias, semanais ou até mensais. Tarefas, e não metas. As tarefas cumpridas ajudarão você a cumprir as suas metas. Vamos vencer primeiro as pequenas tarefas. Claro que não podemos definir o que iremos fazer em primeiro lugar, sem que antes tenhamos estabelecido alguma ordem de prioridade. Com o advento dos *smartphones*, podemos anotar as tarefas e os horários, e eles irão lembrar você a cada etapa do dia e horário o que deve ser feito. Tenho um relógio aqui comigo que daqui a pouco vai tocar um sinal e dizer: "Hora de se levantar e se movimentar um pouco".

Isso é fenomenal. Meu computador diz "Hora de malhar". Ao lado de minha cabeceira, tem um equipamento que ao meu "Bom dia" ele me diz toda a minha agenda, dá as principais notícias da manhã e depois toca músicas tranquilas para o meu acordar suave. Uau! Como eu vivi sem isso por tanto tempo? Quando vencemos uma tarefa, isso se torna o combustível para a próxima. A velha lista de tarefas ainda é eficaz.

É preciso criar uma "proteção". Como seria isso? Algo também simples, mas que precisa de força de vontade. Tente descobrir onde está a fonte do problema e crie uma proteção para tudo aquilo que possa estar promovendo a procrastinação e, assim, a autossabotagem na sua rotina. Um bom exemplo é o tempo perdido nas redes sociais. Se este é um problema seu, minha sugestão é que você crie obstáculos ao que está estimulando a procrastinação em sua vida. Estabeleça horários específicos para que você use redes sociais. Caso esteja com dificuldade de se livrar das mensagens de texto do WhatsApp, que tal desativar a internet de seu celular por um período? Não consegue isso? Deixe-me compartilhar uma experiência. Fiz um teste comigo mesmo. Passei um tempo sem internet, e o que percebi foi que no início fiquei um pouco ansioso, mas logo em seguida surgiram outras coisas de minhas tarefas diárias que me fizeram esquecer de que eu havia deixado o aparelho no modo avião. Foi realmente interessante, pois eu imaginava que iria estar pensando nisso todo o tempo e me desliguei mais rápido do que pensava. Tente isso, seja intencional, pois isso muda tudo.

(**Meu conselho**)

Faz tempo que entendi que não posso confiar em mim mesmo, especialmente em algumas áreas de minha existência. Desde que passei a andar com Jesus, procurando seguir Seus conselhos, vejo que somente Ele pode me ajudar a vencer os desafios que se levantam. De fato, eu assumo que desisti de tentar isso sozinho, e desde então tenho caminhado assim. Procuro na Bíblia os exemplos e, especialmente, os conselhos para tomar minhas decisões. Não considero isso simples, nem fácil, mas necessário, e, pela minha experiência de muitos anos, tenho visto que é isso que devo continuar fazendo. Escute isto: traga Deus para dentro de suas tentativas. Isso significa mais do que orar e clamar. Tome atitudes que o ajudem, e uma delas, já comentada aqui, quero destacar, pois sei de sua importância: traga alguém para perto de você, eleja um "padrinho" ou uma "madrinha" que possa ser aquela pessoa que o ajudará a vencer cada etapa. Um alarme, um relógio e o telefone podem ajudar, sim, mas nada como a companhia de alguém de carne, osso e espírito para estar presente e ajudá-lo. A procrastinação se rende mais fácil a uma "dupla de três", que luta essa batalha – você, seu "padrinho" ou "madrinha" e Jesus Cristo. Afinal de contas, ele disse: *E eu estarei sempre com vocês, até o fim dos tempos* (Mt 28.20).

Depoimentos de pessoas que assumem a autossabotagem

Neste capítulo, apresentarei depoimentos de pessoas que de alguma maneira assumem que se autossabotaram em diferentes áreas e que reconhecem quanto isso foi danoso e atrapalhou seus planos por muito tempo. Os nomes das pessoas que aqui aparecem são fictícios, a fim de resguardarmos sua privacidade. A idade e a área de autossabotagem, porém são verdadeiras.

Área emocional

Patrícia, 25 anos, profissional liberal

Recentemente, tive a oportunidade de finalmente descobrir quanto e por quanto tempo fiz questão de boicotar a minha vida amorosa. Acho que toda a história começa pela figura do meu pai. Quando meu pai saiu de casa, eu tinha 13 anos. Eu sempre fui muito apegada a ele e até então ele era meu maior exemplo de homem e de pessoa. Acontece que, como meu pai havia traído minha mãe, a imagem de super-herói caiu por terra. No mesmo ano em que eles se separaram, conheci um rapaz que viria a ser meu primeiro namorado. Eu tinha 13 e ele,15. Éramos bem diferentes. No primeiro ano, o relacionamento foi até bom, mas em seguida começou a desandar. Ele era muito ciumento, e eu costumava cobrar dele ser algo que ele não era: romântico e carinhoso.

Vivíamos brigando, mas eu não tinha coragem de terminar, porque ele parecia haver preenchido uma parte que ficou faltando desde que meu pai saiu de casa. Depois de cinco anos de namoro, ele já estava morando em outro país, quando eu me mudei para outro estado para estudar. Lá, percebi que não existia só ele e que já estava na hora de tentar ser feliz com outra pessoa. Muito corajosamente, terminei o namoro. Não demorou muito para namorar de novo, e de novo, e de novo. Sempre que eu iniciava um namoro, construía uma série de expectativas de que aquele seria o príncipe encantado com quem eu poderia criar uma nova família – a família que eu tinha perdido desde que meu pai saiu de casa.

Isso obviamente colocou uma pressão gigante em todos os candidatos, cuja escolha já era em si prejudicada. Explico: vivi por muito tempo uma dicotomia no meu "ideal masculino". Ao mesmo tempo que eu queria encontrar um homem másculo e que me protegesse como meu pai fazia, também queria alguém que fosse doce e romântico, como eu sempre idealizei, meu príncipe encantado. Então, em geral eu dispensava aqueles garotos que corriam atrás de mim, por achá-los "fracos" demais para assumir o primeiro papel, ao mesmo tempo que eu sofria nas mãos dos "durões", que acabava escolhendo, porque sempre cobrava deles que fossem românticos e se importassem em formar uma família como eu me importava, o que não era muito o estilo deles. Até que um dia conheci um rapaz mais velho, que parecia curtir muito a ideia de se casar. Nós não nos conhecíamos há muito tempo, mas ele parecia cumprir minimamente com meus "requisitos": era forte e sempre me dizia palavras bonitas, além de prometer formar uma linda família comigo. Com menos de seis meses depois de nos conhecermos, resolvemos nos casar. Eu estava superentusiasmada com o casamento em si. Finalmente, conseguiria realizar meu sonho de reconstruir a minha família.

Acontece que quase todos que o conheciam – inclusive os membros da minha família – pareciam não ir muito com a cara dele. Resolvi fazer uma viagem "teste", para tentar conhecê-lo melhor (afinal, morávamos em estados diferentes e geralmente nos víamos apenas nos finais de semana). Cheguei da viagem decidida a encerrar o noivado. Ele se mostrara uma pessoa rude e grosseira. Aquilo não era pra mim. Eu estava me boicotando. Depois que desisti de casar, passei um ano solteira (recorde, no meu caso), até que conheci outro rapaz e rapidamente passamos a namorar. E disse: Agora vai. Mas a mesma história dos namorados anteriores se repetira. Apesar de muito imponente, ele era bastante grosseiro e nossas divergências me entristeciam muito. Mas uma vez mais eu tinha medo de desistir e jamais encontrar alguém com quem pudesse finalmente realizar o sonho de reconstruir minha família.

Foi quando, logo após terminar com ele no meio de uma viagem, fui a um culto que marcou minha vida. Naquele dia, eu descansei e entreguei nas mãos de Deus as minhas expectativas. Saí mais leve daquele culto, foi algo muito marcante para mim. Mesmo assim, a viagem foi muito dolorosa, e eu pensava muito em voltar com ele. Ao retornar ao Brasil, encontrando-me com um amigo que conhecia a história toda, dividi com ele minha "dicotomia" sobre o homem ideal que eu imaginava para mim. Esse meu amigo retrucou a meu comentário dando-me o conselho de que "se eu não dava bola pra quem corria atrás de mim, talvez eu mesma não gostasse de mim, porque, se alguns garotos corriam atrás de mim, era porque eu valia a pena, e eu tinha que valorizar quem achava que eu valia a pena". Aquela conversa me marcou muito e me fez refletir bastante.

Alguns meses depois, reencontrei um grande amigo que sempre fora muito gentil comigo e com quem eu costumava concordar bastante, compartilhando das mesmas ideias. Ele me surpreendeu com um beijo depois de um final de semana saindo comigo e com as minhas amigas e, claro, consequentemente escutando meus dilemas sobre relacionamento. Engraçado que ele concordava com tudo, mas eu não reparava muito não. Depois do primeiro beijo, eu viajei e passei três semanas de férias com a minha família. Nós conversávamos todos os dias e nos conhecíamos mais e mais. Pela primeira vez, eu não "enjoava" de uma pessoa que estava claramente "correndo atrás", se importando, me elogiando. Apesar de não ser como os "desafios" da conquista, de precisar mover mundos e fundos para chamar a atenção do outro e, às vezes, até não ser eu mesma em razão disso, sentia que era bom conversar com ele. Voltei de viagem e não demorou muito para saber que o boicote talvez tivesse acabado e parecia que finalmente eu teria entendido melhor o que significava um relacionamento saudável: a procura tem que ser mútua, o esforço e dedicação precisam ser mútuos e não adianta tentar mudar ou tentar mudar o outro.

Área matrimonial — comportamento repetitivo

Eduarda e João, 38 e 34 anos, casados a quinze anos

Comecei a perceber que meu filho Ricardo, de 11 anos, vinha tendo dificuldades na escola, apesar de ser uma criança muito inteligente. Ele não conseguia ultrapassar certas barreiras no desenvolvimento intelectual. Eu e meu marido começamos a ter dificuldades no nosso relacionamento e, imediatamente, tentei transferir isso para as dificuldades que nosso filho vinha tendo. Em pouco tempo, percebi que esse não era o problema. Na verdade, eu estava realmente esgotada com nosso relacionamento que já tinha quinze anos. Meu marido é uma pessoa muito boa, tem uma inteligência especial, é atraente fisicamente, ou seja, o que poderia eu esperar de alguém para viver comigo e partilhar de minha jornada na vida? Muitos vão dizer: "Nada". Minhas amigas dizem exatamente isto: "Menina, você tem um santo e está insatisfeita?" Posso dizer que sim, estava muito insatisfeita, por isso saí em busca de tentar identificar qual seria o problema. Busquei ajuda de um profissional, o que reco-mendo muito. Não precisou muito tempo para identificar que eu estava entrando em um processo de autossabotagem e quero com-partilhar sobre isso.

O meu marido é tudo isso que eu disse aqui, uma pessoa muito especial, mas ele é muito devagar em tudo, e eu posso até dizer que a acomodação dele me incomoda tanto que eu fico pensando como uma pessoa pode ser assim. Acomodado com o trabalho, em que não acontece nada de novo há anos, vive em uma rotina pro-fissional impressionante, e isso não o incomoda. Eu acho que ele pode ficar em uma mesa carimbando papéis por anos e se aposen-tar fazendo o mesmo, e isso não mexe com ele. Ele ganha pouco para a sua capacidade, tenho certeza disso, mas ele não vê assim. Ele poderia ganhar bem mais e melhorar nossa renda, mas se sente seguro ali naquele emprego e não pensa em dar nem sequer um passo. Aí você pergunta: "Isso o incomoda?" Absolutamente, não! Mas, se você perguntar quem se incomoda com isso, sim, eu me incomodo, e muito. Isso me tira do sério e está atrapalhando nosso casamento.

Sou muito diferente. Tenho um emprego até bom, mas estou sempre em busca de algo novo e, se surgir, não pensarei duas vezes em mudar de emprego. Quero ganhar melhor, evoluir e crescer profissionalmente, proporcionar uma melhoria para a família. Isso às vezes me angustia e vejo nisso algo ruim, me incomoda ser assim, mas será que incomoda a ele me ver angustiada? Claro que não; ele apenas diz: "Amor, relaxe, vai dar tudo certo". Você imagina que ele nem se irrita quando toco nesses assuntos? Pois bem, ele nem se mexe. Ele é uma boa pessoa, inteligente, admirada pelos muitos amigos que tem e que gostam muito dele. Ele é aquele cara que diz que vai colocar aquele quadro na parede que eu pedi faz seis meses; sim, todo dia ele diz que vai colocar. Com o desempenho de nosso filho na escola, é a mesma coisa; ele apenas diz que vai melhorar, que é uma fase. Mas minha preocupação é que as fases na vida dele nunca passam.

Não sei se vale a pena, mas vou tocar aqui no assunto da sexualidade, que não vai nada bem. E por que não vai? Ora, porque ele só me procura uma vez, fico perdida, e sinceramente ele não se dá conta disso e não vai ao médico, mesmo prometendo todas as vezes. Quando eu o procuro, é pior ainda. Mas não foi sempre assim, as coisas foram piorando com o tempo, e ele foi se tornando essa pessoa totalmente passiva que eu não aguento mais.

A terapia começou a me ajudar, quando fui assumindo algumas realidades que sempre e de alguma forma tentei esconder de mim mesma. Ela me ajudou a perceber que eu estava entrando em um processo de comportamento repetitivo e me espelhando no relacionamento de meus pais. Cheguei a entender que eu estava casada com minha mãe! Eu havia escolhido alguém com o comportamento dela para que eu pudesse expressar o meu comportamento que se baseava em meu pai. Minha mãe era uma pessoa difícil, cheia de impulsos e críticas à minha pessoa em praticamente tudo que eu fazia, e claramente favorecia a meu irmão. Para falar mais um pouco dela, ela me traía a confiança, não guardava minhas confidências, mas eu continuava abrindo meu coração para ela.

A terapia me ajudou, porque percebi que estava me tornando como minha mãe e me defendendo de viver com alguém como meu pai que era bruto e dominador. Percebi que minha insatisfação com o João também estava relacionada com a figura de meu pai. Eu queria estar no controle de tudo, pois assim não mostraria minha vulnerabilidade, que era grande, apesar de não aparentar. Eu reclamava de que meu marido não fazia nada, mas ao mesmo tempo eu não permitia que ele fizesse. Percebi que até na área da sexualidade era eu quem provocava sua falha, não permitindo que ele tivesse o controle. Talvez não seja fácil de entender, mas, veja bem, eu estava sabotando conscientemente todas as situações que eu mesma desejava. Lá no íntimo, queria um marido que fosse bem-sucedido, autoconfiante e dinâmico. Mas, se isso ocorresse, ameaçaria minha posição. Lembra-se de minha mãe? Eu tinha que descartar aquela figura cheia de regras, crítica, mas que se submetia ao seu marido (meu pai) e precisava afastar o pai bruto e grosseiro. Eu tomei consciência, com a ajuda da terapia, de que estava lutando para não estar na mesma situação que eu ocupava na minha família original, fazendo exatamente o contrário. Eu precisava estar no comando. Nada de vulnerabilidade ou de mostrar minhas carências; eu era a certa.

E como isso terminou? Eu tinha duas escolhas: continuar casada e tentar progredir junto com o João ou me separar. Graças a Deus, o João também entrou em uma terapia e conseguiu identificar muita coisa que o levava a se comportar daquela forma comigo e com a família. Ele, coincidentemente ou não, estava repetindo o comportamento do pai, que não dava atenção às necessidades dos filhos adequadamente, relaxado etc. A terapia e a minha relação com Deus me ajudaram muito. Os conselhos bíblicos a mim ministrados por meu pastor de que eu poderia ser mais paciente também me ajudaram muito, e cresci nisso, deixando de querer sempre prevalecer, repetindo o comportamento de minha mãe. O João encontrou mais dificuldades, mas abandonou algumas práticas que repetia, vindas de seu pai, e passou a se dedicar mais ao nosso filho. Hoje, nosso casamento vai bem melhor. Não é perfeito, claro, pois sabemos que isso não existe, mas é feliz, porque ambos estamos cedendo aos nossos caprichos e erros e tomando atitudes diferentes.

Se tem algo que eu possa dizer, é que o casamento deve ser marcado por atitude madura. Conhecer seu futuro cônjuge antes de dizer o sim é importante e, especialmente, a família dele. Nessa experiência, aprendi como a família de origem tem importância naquilo que vai se tornar a minha família nuclear.

Área do chamado

Pedro, 38 anos, pastor

Conheci Cristo na universidade quando cursava direito. Sempre gostei do lado das ciências humanas. Lidar com pessoas nunca foi necessariamente um problema para mim, até que a intensidade da vida na igreja me envolveu. Ainda jovem, comecei a liderar grupos caseiros, esses que hoje chamam de células. Ali eu vi que gostava de pessoas, mas que teria um limite no meu convívio, e isso poderia ser um fator limitante na minha vida, especialmente porque naquele mesmo período eu estava "sentindo" o que poderia dizer que era um chamado para o ministério ordenado na igreja.

Estranho era que eu, de fato, estava interessado em atender àquele chamado pastoral. Afinal de contas, eu gostava de estudar e ensinar a Bíblia. Liderar estudos bíblicos no meu grupo era um prazer imenso. Eu gostava de ver a igreja crescer e se expandir e, à medida que me inteirava mais, tornava-me um "defensor" da fé e um vibrante apologeta. A igreja passou a ser meu mais interessante e apaixonado tema. Minha carreira na advocacia já não era minha maior prioridade, mas eu olhava para ela como minha fonte de renda e de poder desfrutar de tudo que eu sempre sonhei em termos materiais. Eu sabia que, como pastor, isso teria muitos limites. Sinceramente, me vi em um dilema e segui nas duas direções. Aceitei o chamado, entrei na faculdade teológica, tive o apoio da minha igreja e ao mesmo tempo continuei meus estudos no curso de direito. Aos poucos, fui vencendo minhas limitações no convívio com as pessoas e, no meu entender, fui mesmo curado disso.

Ao mesmo tempo, segui na carreira de advogado e consegui projeção e uma vida razoavelmente boa, com os benefícios que eu sempre busquei. Mas, para ser sincero, o que me alegrava era o trabalho na igreja. Eu estava prestes a ser ordenado pastor, mas comecei a temer perder tudo que a minha profissão me proporcionava e, a partir daí, entrei em um processo de autossabotagem, tentando convencer-me de que o meu chamado seria algo mais leve, ajudar na igreja; afinal de contas, eu não me dava bem com muita gente, não gostava de pessoas, como eu iria precisar gostar no ministério. Passei a me esconder de Deus atrás de minhas justificativas que nem sequer eram verdadeiras. Lembre-se de que eu já convivia sem problemas com as pessoas desde algum tempo.

Na realidade, passei a encontrar outras justificativas, e de todo canto eu tirava um argumento para me convencer de que o ministério poderia acontecer, mas que não precisaria abdicar de minha carreira de advogado. Eu mencionava as condições financeiras que seriam limitadas, o tempo com a família que seria restrito... Em tudo eu via uma justificativa para não atender, e comecei a considerar até minha própria capacidade intelectual, apesar de saber que era significativa para desenvolver um bom ministério.

Passei um bom tempo adiando minha decisão de investir no ministério pastoral e tentando acreditar nas mentiras que eu mesmo dizia a meu respeito. Em dado momento, e com a ajuda de alguns irmãos e irmãs, pude perceber que estava sabotando meu futuro, negando um chamado claro e evidente, visto e percebido por todos ao meu redor. Decidi tomar atitudes que me movessem do estado de insegurança e medo para uma posição de esperança. Fiz o que aconselho qualquer pessoa fazer nesses casos, quando estamos envolvidos em um processo de autossabotagem no qual o receio do futuro passa a impedir nosso desenvolvimento. Dei passos graduais e fui aos poucos assumindo as funções ministeriais e diminuindo minhas atividades profissionais, e é exatamente onde estou agora. Alegra-me investir o meu tempo no ministério, mas tenho compreensão de meu momento profissional e da necessidade de continuar atuando como advogado.

Mas este é um momento diferente, pois sei de minha capacidade, ao mesmo tempo que reconheço que há tempo para tudo. A luta interior, "as vozes que eu escutava" tentando me convencer de que as minhas fraquezas eram determinantes, cessaram ou, quando surgem, estão sendo administradas. Foi fundamental nesse processo de crescimento a ajuda externa. No meu caso, compartilhar de meus dramas que estavam me consumindo com uma pessoa de confiança e que tinha experiência suficiente para me ajudar fez toda a diferença. Por isso, digo a você: não se feche em seu mundo interior, deixando-se consumir por ele. Busque ajuda e se livre da autossabotagem.

Área dos compromissos

Marcos, 57 anos, advogado

O que vou testemunhar aqui ocorreu na minha juventude, mas poderia ter trazido consequências para toda a minha vida. Na minha adolescência e juventude, não fui um exemplo de pessoa estudiosa. Não fazia parte de minha rotina dedicar tempo aos estudos, me sentar, ler, fazer os exercícios, e as tarefas eram uma luta para mim. Como todos nessa faixa etária, meu olhar estava na rua, no futebol com os amigos, na praia e em tudo que me distraía. E hoje, conhecendo mais um pouco sobre esse tema, depois de ler a respeito, percebo que eu sabotava a minha própria vida. E como eu fazia isso? Em coisas simples que sempre adiavam meus compromissos de ser cumpridos. Talvez meu depoimento seja curto, mas tenho certeza de que era um ato de autossabotagem clássico.

Eu queria estudar, sim, na realidade, eu queria ter esse compromisso, sabia de sua importância, mas provavelmente não o colocava como alta prioridade ou não tinha forças para fazer isso. Via amigos meus estudando e sinceramente achava que eu deveria fazer o mesmo. Não é que eu achasse isso desnecessário; realmente eu cria que era importante, que meu futuro estava em minhas mãos e que devia investir neles. Mas onde estava a força para fazer isso? Eu não sabia e não conseguia encontrá-la. Todos os dias, eu pensava: "vou começar a estudar hoje", mas o que eu fazia? Vou compartilhar aqui; pode parecer até engraçado, mas isso se repetia várias vezes.

Eu chegava da escola e, depois da refeição, arrumava toda a minha mesa de estudos, colocava os livros e cadernos nos seus lugares de acordo com a matéria que, eu sabia, deveria ser estudada, e deixava tudo pronto para me sentar e começar. Mas o que acontecia? Eu nunca começava. Antes de começar, eu dizia a mim mesmo: "estou cansado, vou descansar um pouco e depois começo com mais vontade e ânimo". Gente, isso se repetia praticamente todo dia. A minha mesa arrumada era uma armadilha que eu montava para que eu mesmo caísse nela. Na minha cabeça, eu estava no caminho certo, tinha dado a largada, e aquilo servia de certo alento. Mas na realidade eu estava era emperrado pela autossabotagem. Minha atitude me consolava, "já comecei", mas não saía desse ponto. Às vezes, lembro-me de que até começava, mas minha mesa era junto de minha cama e, por várias vezes, peguei o livro e me deitei para ler na cama. Claro que acordava no final da tarde com o livro no chão e a culpa de que mais uma vez isso tinha acontecido.

Esse depoimento apenas pode mostrar que às vezes isso é muito sutil e que nos convencemos de alguma maneira enganosa de que estamos no caminho certo, mas não damos nenhum passo para iniciar a caminhada de fato. Eu venci essa área. Como? Respondo: Quando eu estava no ano de fazer o vestibular, depois de muita autossabotagem, me juntei a alguns amigos e decidimos estudar juntos. Isso foi determinante. Em muitas situações, acredito que isso ajuda, e muito, como me ajudou. Li um artigo que dizia que ter um "anjo" que o incentive faz toda a diferença. Pois bem, aqueles amigos foram anjos uns para os outros, e depois de seis meses de estudo e muito incentivo mútuo todos fomos aprovados no vestibular e todos hoje somos profissionais responsáveis em diferentes áreas. Espero que este depoimento ajude outras pessoas a enxergar a sutileza da autossabotagem.

(Uma palavra pessoal)

Às vezes, ao ler depoimentos desse tipo, somos tentados a achar que a autossabotagem é uma fraqueza. Sim, é exatamente isso, uma fraqueza que, se não tratada, pode arruinar uma vida, uma família, uma empresa, uma comunidade, um país... Respeito os depoimentos e vejo neles a sinceridade de alguém que deu início a um processo de vitória simplesmente porque decidiu assumir a realidade que estava vivendo. O apóstolo Paulo, quando escreveu as suas cartas, como a de 2Coríntios, "rasgou" o seu coração e assumiu suas muitas fraquezas e que ainda não havia chegado "lá". Veja o que ele disse: *Por isso sinto prazer nas fraquezas, nas injúrias, nas necessidades, nas perseguições, nas angústias por amor de Cristo. Porque quando estou fraco, então sou forte* (2Co 12.10).

Para entender bem o que ele diz, apenas entenda isto: quando estou fraco, busco a Deus e assim me torno o mais forte dos fortes, pois busco a ajuda do alto para resolver as coisas que aqui embaixo, sozinho, eu não conseguiria. Obrigado às pessoas que com o coração rasgado compartilharam aqui suas lutas. Com certeza, elas vão ajudar a muitos.

Conclusão

O adiamento é a arte de manter o ontem.

DON MARQUIS

Espero que, depois de todo o esforço de ler este livro e observar as diferentes áreas nas quais a autossabotagem pode ocorrer, você tenha elementos suficientes para identificar quando ela se aproximar e perceber que poderá instalar-se, trazendo-lhe danos irreparáveis. Esse momento é chave quando estiver tratando de vencer ou prevenir os riscos de autossabotagem em sua vida. Não estou falando na terceira pessoa do plural, porque isso poderia generalizar e você poderia entrar em sua zona de conforto, e isso é a última coisa que queremos quando precisamos superar nossos limites. Acredite, para vencer ou administrar a autossabotagem, você vai precisar superar seus limites.

É muito importante lembrar que esses limites deverão ser superados nas diferentes áreas da vida. São esses limites que nos lançam para a autossabotagem, são eles que nos dificultam desenvolver "ferramentas" pessoais que nos ajudem a tomar a direção oposta da autossabotagem. Essas "ferramentas" foram expostas em todos os capítulos deste livro, mas talvez eu deva lembrar mais uma vez para que nossa mente guarde com mais reserva de memória, e isso por certo nos ajudará nessa batalha que em muitos casos nos parece inglória.

Todos nós temos medos, uns mais, outros menos, e isso faz parte da história de vida de qualquer um, sem distinção. Ricos e pobres, sábios e ignorantes, crentes e ateus, brancos e negros, homens e mulheres, crianças, jovens e adultos etc. O medo é bastante democrático e sem preconceito; ele atinge a todos. Não há nenhum mal em sentir medo, mas há muito mal em se permitir ser dominado por ele. A autossabotagem pode se aproximar de você pelo medo de enfrentar as situações da vida e, ao nos subestimar, abrimos as portas para que montemos as armadilhas para cairmos nelas. O medo pode ser de assumir responsabilidade e, ao desejar fugir delas, sabotamos nosso futuro e, assim, o nosso provável sucesso.

Talvez você não viva isso, mas conheça alguém que tinha a capacidade comprovada para realizar determinada tarefa, assumir certa posição, tornar-se uma referência e, claro, passar a ser notado por todos. Mas tal pessoa, que não confiava em si mesma e não se enxergava naquela função, fugiu de assumi-la, e uma das maneiras de fazer isso foi montar uma armadilha para si mesma, se autossabotando. Por medo, essa pessoa evitou concorrer a cargos ou passar em um concurso, aceitar um emprego, mesmo sabendo que era capaz e que gostaria de lograr esse intento; contudo a força do medo fez com que ela se autossabotasse. Talvez existam mais razões para isso do que imaginamos, mas a principal delas é o medo de não corresponder às expectativas tanto pessoais como de outros, o que massacra a determinação e faz a pessoa acovardar-se de uma maneira que chega a ser irracional.

Algo que fará toda a diferença nessas situações é a convicção pessoal. Não creio que somente por acreditar em algo, isso deverá acontecer; na realidade, tenho certeza de que isso é apenas um estopim para dar início a qualquer projeto. É claro que, se você não acredita, dificilmente fará alguém acreditar, certamente terá dificuldade de conquistar adeptos à sua ideia e muito provavelmente esse plano não sairá do papel ou mesmo de sua mente. É necessário mais do que acreditar; faz-se necessário um bom plano, um plano executável e, sim, claro, aliado à sua convicção, ele poderá se tornar realidade.

Vamos revisar isso? Um plano precisa ser exequível. Plano não é apenas um sonho. Eu já disse várias vezes que não gosto de chamar meus planos de sonhos porque a palavra "sonho" me traz à memória uma pessoa deitada, pensando, sem se mover. Prefiro usar o termo "plano" e no máximo dizer que "esse plano é meu desejo de muito tempo". Parece-me que assim consigo enxergar alguém planejando, e não em cima de uma cama, "sonhando". Portanto, além de ser algo exequível, preciso ter um foco muito claro, caso contrário as distrações me desviarão do caminho de executar esse plano. Além disso e, principalmente, você trilha um caminho no qual a autossabotagem não o vai perseguir se você de fato acreditar nessa possibilidade, mesmo que, quando você pensar, surgir na sua mente os desafios, o frio na espinha etc.

Tudo isso mostra que o plano é relevante. Ok, você acredita? Mas agora está na hora de trazer Deus para dentro desse plano, e isso é fundamental. Falamos anteriormente de Neemias e de seu plano para reconstruir os muros de Jerusalém. Muitos não consideram que aquela reconstrução foi somente dos muros da cidade; antes de tudo, ele teve de reconstruir a autoestima daquele povo, que estava arrasada, e essa talvez tenha sido a tarefa mais difícil de Neemias. Você não pode caminhar só, pelo menos esse é o meu conselho. Reúna gente em torno de seu plano e coloque Deus à frente dele. O plano de Neemias era perfeito, mas, sem Deus e o povo com ele, nada teria sido feito e ele teria sido mais um fracassado. Seria uma grande autossabotagem ele achar que, porque o rei o liberou para ir, ele chegaria a Jerusalém resolvendo tudo facilmente. Mire no exemplo de Neemias para evitar que você sabote seus planos. Acredite, tenha foco, tenha fé em Deus e conquiste as pessoas. Assim, você será líder de um projeto divino e livre de autossabotagem. Mais uma vez, não confie na sua própria força e nos aspectos exteriores apenas, pois eles, às vezes, são os menos relevantes.

Não poderíamos concluir este livro sem que rapidamente mencionássemos o processo de autossabotagem dentro do ambiente familiar. Trabalhei e trabalho com muitos casais, atendo famílias e tenho livros escritos nessa área. Fui casado por 31 anos, com 36 de relacionamento, até minha esposa ser levada para a casa do Pai. Não escrevo em teoria e, sim por prática e por amar ver uma família estruturada, sendo protagonista de uma sociedade da mesma forma estruturada. Tratamos aqui de um aspecto importante, que foi o comportamento repetitivo. Se possível, depois de algum tempo, volte a esse capítulo, caso encontre dificuldades no seu casamento ou se preparando para casar. Leia-o novamente, faça anotações e avalie seu relacionamento. Você pode estar em um processo de autossabotagem sem perceber, e ainda é tempo de corrigir essa jornada, sempre é possível, desde que haja disposição, humildade e colaboração de ambas as partes.

Não poucas vezes, as pessoas procuram se relacionar com alguém que é a imagem de seus pais. Os terapeutas dizem que isso é muito comum. Alguém que se casa com uma mulher que é a imagem de sua mãe, às vezes, ao censurar-lhe os aspectos negativos de seu comportamento, parece uma tentativa de corrigir a mãe que ele não conseguiu corrigir no passado. Parece algo muito estranho? Sim, também acho, mas isso é mais real do que você possa imaginar. Lidei com um casal que estava separado e que claramente um deles estava tentando fazer do cônjuge a imagem de um de seus pais. Havia uma forte ligação, um "cordão umbilical" não cortado como costumamos dizer, que estava sabotando aquele relacionamento, por tentar repetir no cônjuge aquilo que era a imagem de um dos pais e de quem esse cônjuge tinha uma forte dependência emocional. Como dissemos antes, as armadilhas, somos nós mesmos que montamos, e caímos nelas de maneira consciente ou não. Novamente, coloque Deus em sua vida e na vida de sua família ou relacionamento para um futuro melhor. A Bíblia é um manual da boa convivência e de propósitos definidos para a família. Procure desde cedo viver esses propósitos, pois depois e com o passar do tempo tudo se tornará mais difícil. A autossabotagem pode ser a saída encontrada para buscar uma solução por meio de atalhos, mas entenda: não há atalhos no crescimento e busca da maturidade.

Tratamos aqui da autossabotagem naquilo que identificamos como um chamado ou uma vocação. Sinceramente, creio que na maioria das vezes quando sabotamos um chamado, seja ele ministerial, seja uma vocação profissional, o fator medo está envolvido. Sim, e é simples de explicar. Convivemos com pessoas que estão na atividade para a qual nos sentimos chamados. Se for para o ministério pastoral ou para uma liderança em uma área da igreja, por exemplo, sabemos o que é isso, dos desafios que nos aguardam, pois, se estamos nos sentindo chamados, deve ser porque convivemos nesse ambiente. Um exemplo muito claro é a esposa de homens que se apresentam como chamados. Em muitos casos, e eu já lidei com vários, a esposa repele aquilo, chegando a dizer: "Deus me livre!" Por quê? Porque ela tem convivido com o ambiente e considera os aspectos negativos, provavelmente amplificando-os e não os desejando para sua vida. A sabotagem pode chegar até você, mas pode ser iniciada em outra pessoa que o influencie de alguma maneira, de modo que o medo parece estar sempre presente.

Independentemente da área de vocação, a autossabotagem chega pela apreensão em assumir as responsabilidades de determinado cargo e, mesmo sabendo-se capaz, ela nos envolve e em muitos casos nos domina, privando-nos de crescer. Minha orientação sempre será na direção de ser alguém resolvido na sua identidade, e isso precisa ter a presença de Deus que é a fonte de toda a nossa identidade. Em Jeremias 1.5, encontramos estas palavras de Deus ao profeta: *Antes de formá-lo no ventre, eu o escolhi; antes de você nascer, eu o separei e o designei profeta às nações.*

A busca de uma identidade definida e de um ambiente saudável é um fator que colaborará para evitar a autossabotagem. Essa identidade tem a ver com a sua formação e história de vida. Não é comum sermos chamados para realizar algo com que nunca lidamos. Pode acontecer? Claro, pois Deus é soberano. Mas normalmente ele atua dentro dos parâmetros que possam ser mais bem aceitos ou compreendidos por nós e facilitar nosso entendimento. Não permita que sua vocação e seu chamado se percam e que tantas outras pessoas sejam beneficiadas por ele. Quando sabotamos nosso chamado, não se trata de apenas perder aquilo que é a boa, perfeita e agradável vontade de Deus para nós mesmos, mas de evitar que outros sejam também alvo dessa vontade divina.

O ser humano é complexo e, quando passa a se relacionar com outro ser humano, essa complexidade aumenta, e ainda, se for uma relação entre um homem e uma mulher, um namoro, noivado ou casamento, meu Deus, haja complexidade! Por isso, considero isso uma "praia de areias fofas". Se você já experimentou caminhar nesse tipo de praia, sabe o esforço que faz para se movimentar de um ponto para o outro. Sabe também que esse esforço pode fazer com que fique esgotado e desista da caminhada. Fui atleta de basquete, fiz muitos exercícios e às vezes caminhava ou corria na praia de areias fofas. Era muito difícil, e a vontade de desistir era grande. Mas a motivação da equipe era importante e me ajudava muito, a meta estabelecida também me fazia seguir, e o resultado, maior resistência física e músculos mais resistentes etc., me ajudava a perseverar. Mas não é fácil; a determinação é fundamental.

Relacionamentos humanos, especialmente na área sentimental, é algo parecido. É necessário resiliência para superar os obstáculos que surgem. A autossabotagem está muito por perto, rondando essas relações constantemente. O que sugerimos aqui deve ser uma constante em sua vida e em seus relacionamentos. Boa comunicação, entender a linguagem do outro, compreender o pano de fundo familiar e julgar ou tirar conclusões considerando esses parâmetros fazem parte de um conjunto de atitudes que poderão levar você a desenvolver uma relação saudável com uma pessoa diferente, mas que é amada por você pelo que ela é, e nunca pelo o que você deseja que ela seja. Aliás, esta é uma das maiores armadilhas no casamento e forte combustível para você sabotar seu relacionamento: tentar mudar o outro e encaixá-lo no perfil que você imaginou para ele.

Cuidado, essa praia pode levar você ao esgotamento. O propósito de Deus para o homem e a mulher é que eles desenvolvam uma vida equilibrada e saudável, mas isso não é algo fácil, e mente quem diz o contrário. Duas pessoas que vivem juntas por muito tempo só conseguem ser felizes em razão do amor que supera todas as coisas. Tenho uma sugestão para os casais que desejam afastar a sombra da autossabotagem. Sigam esta sequência: primeiro, sejam os melhores amigos um do outro. O amor-amizade precisa existir, pois é ele o mais equilibrado de todos os amores; segundo, sejam família e busquem fortalecer esse elo, pois uma família equilibrada tem as marcas de que uma boa relação carece; terceiro, sejam amantes intensos. A sexualidade é parte dessa relação saudável, além de uma necessidade humana; quarto, sejam aqueles que pensam grande. Com grandeza, vejam o amor como algo altruísta, com o amor ágape, aquele que vê no outro alguém a ser ajudado, e não alguém de quem tirarei vantagens.

Sabemos que nossa vida está debaixo de um propósito maior de Deus para a humanidade e, por que não dizer, para a criação. Deus tem um propósito para cada pessoa neste mundo e, por meio desse propósito, Ele busca cumprir um propósito muito maior, que é a direção de toda a criação. Quando sabotamos a nossa própria vida, estamos colocando barreiras ao plano maior de Deus, que deseja nos usar ali, onde ele mesmo planejou, e, por saber muito bem e nos conhecer melhor que nós mesmos, sabe como poderemos preencher as demandas desse plano maior.

Sugiro atenção nesse particular, pois estamos nos incluindo no plano de Deus para a humanidade e sendo parte dessa realização, de modo que precisaremos entender a seriedade de tudo isso. Eu sou um ministro do evangelho e sei que, desde o início de toda a minha caminhada, o plano de Deus para a minha vida vinha sendo forjado. Mas minhas respostas em cada fase dessas foram fundamentais. Se a autossabotagem tivesse vencido algumas dessas etapas, haveria um prejuízo em todo esse plano. Eu tenho a plena convicção de que fui chamado para um tempo como este. Posso me lembrar aqui da rainha Ester que ocupou essa posição real no momento em que o risco de extermínio do povo judeu ocorreu. Se ela tivesse autossabotado o seu chamado, teria colocado em risco o propósito maior de Deus para a humanidade por intermédio da nação de Israel. A advertência de seu tio Mardoqueu foi fundamental:

> *pois, se você ficar calada nesta hora, socorro e livramento surgirão de outra parte para os judeus, mas você e a família do seu pai morrerão. Quem sabe se não foi para um momento como este que você chegou à posição de rainha?* (Et 4.14).

Não tenho dúvidas de que cada um de nós foi chamado para um tempo específico "como este". Permitir a autossabotagem se aproximar pode comprometer o cumprimento desse chamado para ser parte de um propósito maior.

Uma atenção especial deve ser dada à vida financeira e à saúde com a qual ela se desenvolve. Não é algo fácil equilibrar as finanças em tempos nos quais a crise econômica bate às nossas portas. Mas não seria fácil também sem a crise. Por quê? Ora, porque a natureza humana tem uma atração especial pelo fator dinheiro. Não é sem motivo que a Bíblia aborda tantas vezes esse assunto. A relação divórcio–dinheiro é muito próxima, e a maioria dos relacionamentos que se rompem tem, de alguma forma, o assunto dinheiro envolvido. Quando a Bíblia exorta que "O amor ao dinheiro é a razão de todos os males" (cf. 1Tm 6.10), ela o faz com propriedade. Tenho observado como o dinheiro é ao mesmo tempo bênção e maldição e como ele afeta a nossa vida. Quando alguém pergunta como podemos sabotar a nossa própria vida com o dinheiro se é ele que nos ajuda a viver, a resposta é simples: amando o dinheiro e sendo servo dele, em vez de ser o senhor dele. Simples e verdadeiro: quando me torno servo dele, eu passo a negociar tudo para tê-lo. Os valores são invertidos, pois uso o bem material e negocio o bem supremo, que é Deus e a Sua vontade para a minha vida.

Por fim, concluo alertando para uma das mais poderosas armas da autossabotagem e por onde ela entra em nossa vida com mais intensidade. Refiro-me ao adiamento do inadiável, da postergação e da "certeza" de que farei aquela tarefa, mas não agora. Considere bem esse assunto, pois ele está presente na vida da maioria das pessoas, senão de todas, em maior ou menor intensidade. Neste livro, tratamos com bastante atenção e seriedade desse assunto, porque temos visto o mal que ele causa ao ser humano.

A você que está terminando essa leitura agora, meus parabéns. Considero isso uma grande vitória. Há pessoas que nunca terminam de ler um livro na vida. Iniciam a leitura, mas, pela procrastinação, adiam indeterminadamente essa tarefa que pode tanto beneficiar sua vida quanto a de outros em torno delas. Isso é uma maneira de autossabotar a sua própria existência, com consequências que extrapolam o âmbito pessoal.

Entendamos definitivamente que a autossabotagem é uma realidade que está bem próxima de cada um de nós. Nossa resposta às circunstâncias da vida podem nos lançar para o emaranhado que essa realidade promove. Concluo dizendo que, se apenas uma coisa você conseguir levar deste livro, leve isto: Não confie nas suas próprias forças, não confie em agir sozinho. A máxima "Eu me garanto!" é uma porta que você escancara para iniciar o processo de autossabotagem. Considere sempre buscar ajuda, e essa ajuda deve vir inicialmente de Deus, pois é Ele o maior interessado em o livrar dessa armadilha. Já vimos isso, mas me permita recordar. Observe o que Ele pensa de você:

Porque sou eu que conheço os planos que tenho para vocês", diz o SENHOR, "planos de fazê-los prosperar e não de lhes causar dano, planos de dar-lhes esperança e um futuro" (Jr 29.11).

E não se permita caminhar sem a ajuda de uma pessoa de sua confiança que de fato o levantará e ajudará a abrir seus olhos para as ciladas da autossabotagem.